Timizart, mémoires à vif

Par Slimane Ait Slimane

Tikoul, exode permanent

Timizart, mémoires à vif

Par Slimane Ait Slimane

Avril 2021

Édition : BoD – Books on Demand,
12/14 rond-point des Champs-Élysées, 75008 Paris
Impression: BoD - Books on Demand, Norderstedt, Allemagne
ISBN : 9782322243433
Dépôt légal: Avril 2021

Hend Agharvi

Les Ulhasa forment une branche tribale qui serait issue de la grande tribu berbère nomade des Inefzawen. Des représentants de cette branche vivent dans les environs de Tafna, à l'ouest du pays, dans la région de Beni Saff. Tariq Ibn Ziyad est issu de cette tribu selon Ibn Khaldoun.

Ahmed est né au sein de la tribu d'Ulhassa, en 886 Hégire, coïncidant avec l'année 1481 après la naissance du christ.
De son vrai nom, Sidi Ahmed Agharbi ben Sidi Muhammad ben Yekhlef ben Ali ben Yahya ben Rachid ben Farqan. C'est le cadet d'une fratrie de quatre garçons.

Jusqu'à la naissance d'Ahmed, son père étudiait les sciences et l'écriture. Il s'occupait dans une industrie sidérurgique artisanale, d'inspiration Andalouse. Cette activité favorisera l'intégration de la communauté berbère revenue d'Andalousie et de Grenade, dans la région, avant la fin du siècle.

Comme la plupart de ses semblables, Ahmed fait ses premiers apprentissages auprès des familles de nobles, dont certains érudits de la région entre autres. Il y étudie les principes de la lecture, de l'écriture et la grammaire. Son génie est démontré dans sa vitesse en mémorisation et sa maîtrise du Coran. Il est réputé également pour sa grande lucidité.

Son environnement familial a un sérieux impact sur la formation de sa personnalité.

A la fin de son adolescence, le jeune cheikh découvre un certain goût pour le tourisme, c'est sa nouvelle passion. Il se contente désormais de contempler et de penser au Créateur avant la création. Il commence à errer en progressant vers les territoires de l'est du pays. Un mode d'émigration courant à cette période. Les berbères qui revenaient d'Espagne, ont fait des études pour beaucoup d'entre eux. Ils se dispersent dans les régions pour profiter de leurs sciences aux habitants. Cette évolution achemine Ahmed jusqu'à Ath Jennad en Kabylie.

Ahmed descend au village Timizart Sidi Mensour à Ath Jennad, avec le projet d'emprunter la voie du soufisme. C'est une pratique qui l'oblige à abandonner l'apprentissage régulier de la langue arabe pour laquelle son père avait déployé d'énormes d'efforts.

Il y rencontre des soufis, devient l'un de leurs disciples et apprend sur eux les secrets du droit chemin.
Il y étudie quelques années jusqu'à ce que les premiers signes de son génie apparaissent, et son don en poésie se manifeste aisément dans ses interventions. Les cheikhs de la région finissent rapidement par le célébrer et l'adouber.

Installé à la Zawia de sidi Mansour depuis quelques années, avec une parfaite intégration. Il se lève tôt régulièrement pour la lecture et la récitation du Coran. Il profite aussi de fréquenter de nombreux cheikhs de renoms ; Mufti de la Malikiyah Abu Abd Allah Al-Masdali, Musa Al-Abdusi Al-Walhasi, Sulaiman Al-Hasnawi Al-Baï et Muhammad bin Ahmed Tlemceni. Ahmed termine ses 23 ans.

Il y accomplit un apprentissage théologique, acquiert une certaine science, et atteint une telle aura, que les étudiants commencent à affluer vers lui de toutes les régions du pays.

Il dispense un enseignement et forme une grande génération de savants en théologie et des hommes de lettres qui n'existaient pas encore dans la région.

Certains vont s'installer à Akbou, une région montagneuse qui regorge de saints célèbres, à l'image de Sharif Al-Husseini et Sidi Ahmed ben Yahya. Un autre groupe d'étudiants s'installe dans la tribu Mozaya, une montagne près de Bejaia.

Heureux dans ce haut et beau pays, où fluctuent pour lui la grâce, le contentement et la condition de vie facile et pleine d'espoir. Mais ce bonheur s'alterne avec l'amertume et la nostalgie pour sa ville natale à chaque instant. Il commence à aspirer de nouveau à sa famille et à toute sa tribu de welhassa qui l'a vu naitre.

Hend Agharvi quitte la Zawia Sidi Mansour, et cherche un lieu moins habité sans quitter l'arch ath Jennad auquel il a un attachement. Il s'installe à Tizi Bounwal. Il s'intègre aux habitants d'Iajmad auprès desquels il officie désormais comme Imam, tout en gardant son statut de marabout régulièrement visité.

Ath Moussa et Alma bwaman forment encore un seul Village, ath Adas. Ahmed, dit

Hend Agharvi, épouse une femme d'Alma Bwaman de la famille Odaïfen. Il achète une parcelle de terrain sur le village de ses beaux parents, au lieu dit Tikoul, où il s'établit avec son épouse. Tikoul devient son village et scelle son ancrage dans la région. Son statut d'érudit en théologie, lui donne une certaine autorité et un pouvoir qui lui permettent d'acheter les terrains voisins sur Ath Adas.

Il construit une mosquée à Tikoul où il finit avec une nombreuse progéniture, dont les propriétés s'étendent d'abord dans le village en achetant des terrains sur les voisins situés au sud de la maison du père fondateur. Ce dernier interdit toute construction au nord de sa demeure qui se profile en mausolée. Il oblige ainsi sa descendance à pousser l'expansion vers le sud, en acquérant des terrains sur les habitants, en évitant de se rapprocher de la forêt déserte d'Ighil nath-Jennad, pour y préserver les terres apparemment plus fertiles. L'esprit de conquête pacifique n'est probablement pas loin, mais l'idée de se rapprocher des populations locales est au moins aussi manifeste.

Il repense à toutes ces nuits passés à étudier et à prier, qu'il regarde avec un mélange de joie et de tristesse, sachant que la fin de sa promenade est dans la région d'Ath Jennad.

Hend agharvi décède le mercredi matin du 3 Rajib 969 coïncidant avec le 19 mars en 1562, à l'âge de 81 ans, plongeant ainsi toute la région dans une grande affliction, sur la perte d'un monument théologique et une grande sagesse, laissant derrière lui des garçons et des filles, et des petits-enfants qui héritent de lui une terre et des traditions. Enterré à l'est du village, au lieu dit akwir oudarar près d'imezlay.

Le processus d'achat de territoires sur les villages voisins, se prolonge sur plusieurs siècles. Le village s'agrandit, prend le nom du fondateur, et devient Igherviene.

Ainsi la population descendante de Hend Agharvi, devient héritière, parmi d'autres, de la civilisation berbère connue sous le nom des Almoravides, dont la puissance arrivait à son déclin au douzième siècle.

Ait Kaci

Respectée et redoutée dans toute la Kabylie, Ait Kaci est une famille de riches propriétaires fonciers, constituée d'une armée de cavaliers bien entraînés dans l'art militaire. Les turcs leur cèdent un certain pouvoir local. Ils ont le commandement sur la vallée du Sebaou et la Haute-Kabylie.

Les plaines d'Azaghar sont l'objet de discorde entre les Ait Kaci et Ait Jennad. Ils sont parfois en conflit, sur un fond d'une rivalité permanente. Ainsi, Ath Kaci reçoivent souvent des fugitifs provenant des Ait Jennad.

1750

La tradition concerne également les autres régions. Ali, était un fugitif venu d'ath Wacif. Célibataire, il est recueilli par un habitant d'Ighervien. Il épouse une fille d'Ikejiwen qui avait pratiquement déjà rompu ses liens avec les siens. En échange d'une protection, ses terrains d'Azaghar sont cédés en partie aux habitants du village. S'installe d'abord à Tikoul, avant d'évacuer vers le milieu du village, et devient Ali Agharvi.

1790

Le jour de l'Aïd Tamokrant, à Igherviene, quelques villageois se retrouvent à Imezlay, à l'Est du village, comme à leur habitude, pour des préparatifs rituels, après la prière. Pendant l'abattage des moutons, un litige en suspens, se retrouve dans le fil de la conversation. Il opposait deux grandes familles d'Ikejiwen, plutôt voisines, voir cousines.

La tension débouche sur un affrontement physique à couteaux tirés bien aiguisés, sur le petit terrain dégagé au milieu d'une dense broussaille, sous le regard du rocher Ouzaya. On dénombre alors plusieurs morts, 7 victimes de la famille du cheikh, et six autres morts parmi Ath Gherbi. Seuls deux hommes survivent à la tuerie, Hocine et son cousin Taakas de la famille Ath Gharbi.

La tragédie qui arrivait à son paroxysme, connait soudain un répit suite à l'apparent équilibre dans les dégâts causés. Les villageois supposent alors et espèrent un calme après la tempête. Mais la différence en nombre de morts, laisse planer la menace d'une vengeance éminente. Une des deux familles se confine pendant près de deux mois pour parer aux représailles.

Les sages du village interviennent pour intercéder entre les deux belligérants. Ils se résolvent à pousser à l'éxil les deux camps. L'un des deux groupes s'exile vers Tamda, capitale des Ait Kaci. L'autre groupe, part en direction de la côte, et s'installe à Ait Réhouna.

Les Ait Kaci reçoivent les exilés partis vers le sud, afin de leur éviter la vengeance. On disait à l'époque de leur propension à offrir asile aux réfugiés et autres fugitifs : tout meurtrier peut trouver asile à Tamda.

Chez les Ait Kaci, lorsque l'homme est de bonne constitution physique, il devient systématiquement cavalier, mais s'il est d'une santé précaire, sa fonction peut se limiter au pâturage. Ils engagent alors les deux hommes, Hocine et Taakas, de la famille d'Iqajiwen, récemment accueillie, comme cavaliers.

Taakas vit assez longtemps et a beaucoup de descendance. Hocine, quant à lui, est tué au combat, alors qu'il était encore jeune et célibataire. En référence et en hommage à sa mémoire, la famille Ikejiwen en exil se rebaptise Ait el Hocine.

1835

Yahia et Slimane, descendants de Hend Agharbi, habitent une zone jonchée de cactus au bord de la rivière Tikoul, au nord ouest du village, voila quelques générations. Slimane, l'ainé de la fratrie, est arrivé à un âge certain. C'était un homme solitaire, qui ne faisait qu'à sa tête. Yahia est père de beaucoup de garçons, dont certains ont déjà quitté pour ath Zellal. Amar, un homme d'une grande taille, c'est le fils cadet de la fratrie, né de la dernière épouse. Mhidine quant à lui s'est maintenu autour de la mosquée du cheikh. Il est réputé être un homme très sociable et chaleureux qui affectionne et entretient au quotidien les liens de parenté et de voisinage. Il vous interpelle de loin sur un ton familier et très souriant.

Les pluies d'hiver s'acharnent, et la rivière Tikoul commence à déborder et devient menaçante pour les habitants riverains. Les Habitants quittent progressivement la zone. Yahia et Slimane vont s'installer dans un espace très broussailleux, rempli essentiellement de myrte commun et de pistachier lentisque, entre Imezlay et Anar à l'est du village. Ils se répartissent les parcelles de terrain, et commencent à construire et travailler la terre. Amar, quant à lui, évacue mais sans aller si loin. Il s'établit à quelques arbres au sud du rocher Nat Ali.

1857

Après la bataille d'Icheriden en juin, la déportation d'ath kaci a commencé, sans même la défaite de toute la vallée de Sebaou. Les français recherchent les ait kaci, qui pour fuir la persécution, vont se réfugier et se fondre dans la masse, à Alger, à Constantine, et dans certains villages kabyles.

1862

Abderrahmane, fils de Slimane, construit une maison près d'un frêne, un arbre centenaire. Elle devient la première maison ancestrale de la famille, héritée plus tard par son fils Saïd. Les enfants de Yahia construisent leur maison à Anar, un terrain de labeur. Ath Lkhodja leur avaient cédé du terrain, entre Anar et imezlay pour Slimane, et entre Anar et Awin el-haj pour Yahia.

Installé voila plusieurs années au sud du rocher Ath Ali, Amar se marie, et sa femme met au monde deux garçons, Mhend Ath Amar né peu avant 1840 et Ali N'Amar né vers 1855. L'épouse d'Amar décède peu de temps après. Il se remarie avec une autre femme qui lui donne un garçon, Hend Ath Amar.

Mhend Ath Amar prend pour épouse une femme d'ath Slimane, Tassadit, fille de Mhend ou-Belkacem. C'est une femme d'une grande beauté. Elle lui donne deux garçons, Moh-Amechtoh vers le début des années 1860 puis Moh ou-Mhend près de 20 ans plus tard. On dit de Tassadit nath Slimane, qu'elle a l'âme d'une lionne. Ses quatre grossesses sont toutes espacées de sept ans. Mohand est recueilli par ses grands parents maternels, afin de lui permettre de se forger un caractère et une vigueur auprès de son grand père, Mhend ou-Belkacem.

1868

Slimane, fils de Mhend ou-Belkacem, travaille comme maçon au village Abizar chez la famille Adour. Au fil des jours, il commence à avoir des vues sur leur fille ainée, Ferroudja. Un jour, au bout d'une longue période d'impatience, il demande sa main auprès de ses parents.

La passion est réciproque, et la femme est prompte à honorer la demande, mais c'est sans compter sur ses parents dont le choix se porte déjà sur un autre homme, habitant d'Abizar même. Ils déclinent alors la demande de Slimane, qui de dépit, cesse le travail chez eux et se fait oublier. Elle est fiancée comme prévu, avec l'homme promis.

Le jour du mariage est fixé, et Slimane a vent des évènements qui se profilent. Le jour des noces de Ferroudja Tadourt, Slimane échafaude un plan, avec six autres jeunes du village, Yahia, futur père d'Amar ou-Yahia, un certain Mohand Arezki d'Igherbiene Bwada, ...et Slimane entre autres. Ils désirent tous une jolie jeune femme, pour s'établir avec. Ils s'introduisent dans sa couche au milieu de la nuit, ils capturent la mariée, et galopent à cheval à toute allure. Ils arrivent au nord du village, et font une halte à Ikhervan pour se concerter, c'est déjà l'aurore. Ils finissent par s'entendre, et lui laissent le choix ;

- Nous te désirons tous, lui lance Yahia, alors tu as le droit de choisir l'un d'entre nous.

Son choix se porte sans sourciller sur Slimane et devient son épouse. Ferroudja intercède auprès de ses parents et leurs proches qui viennent la chercher le lendemain, pour calmer les esprits et accepter la fatalité, foncièrement désirée par la captive. Ils repartent sans elle et sans victime.

1871

En plus des déportations, Ath Kaci ont perdu beaucoup de terrain. Ils se sont dispersés parmi les archs voisins. L'instauration de l'administration civile, et la soumission de la Kabylie aux autorités françaises, donne une occasion à Ath Kaci de se reconstruire. Ils reprennent alors de la force et retrouvent leur capitale Tamda en guise d'autorité locale, qui facilite la gestion administrative pour les français. Les militaires français construisent une grande maison pour le bachagha Belkacem Oukaci et ses frères et Mohand Oukaci, sur ordre du gouverneur Randon, et devient la maison du caïd Ali.

Au mois de juin 1871, la tension est très électrique dans toute la Kabylie et les français commencent à s'inquiéter. Ils dépêchent une compagnie de fantassins auprès des caïds Ahmed et Ali fils du célèbre bachagha Moh Ait-Kaci, pour les amener à se dresser contre les insurgés, qui commençaient à recruter dans la région de l'Arbaa Nath Irathen.

Le caïd Ali entouré de ses hommes, reçoit l'unité française dans l'immense cour de sa résidence à Tamda. La conversation s'engage immédiatement entre le Caïd et le capitaine, debout entourés des leurs. Le caïd tente d'apaiser le capitaine en détresse, celui-ci vociférait, hautain et peu respectueux envers son interlocuteur hôte, plus âgé que lui. Révulsé par cette irrévérence, un jeune des Ait-Kaci, ne se retient pas plus longtemps, brise l'ambiance et tire sur le capitaine à bout portant d'un coup de fusil en plein ventre et l'homme s'écroule.

Une violente bagarre accroche rapidement les Ait Kaci et les français. Elle tourne à l'avantage des Ait Kaci. Plusieurs morts et blessés sont déplorés du côté français, dont sont faits une vingtaine de prisonniers. D'autres soldats réussissent à s'enfuir. L'irréparable est fait.

Dans la hâte, les Ait Kaci sellent les chevaux et chargent sur les mulets armes, munitions, vivres et tout ce qu'ils jugent nécessaire pour la survie en campagne. Ils emmènent les prisonniers et se dirigent vers

Akfadou, pour rallier les insurgés. La maison du Caïd Ali, devient le quartier général des résistants. Après la mort du Caïd Ali, et son frère Belkacem, la maison est récupérée par l'Etat français avant d'être cédée à la municipalité.

Moh Amechtoh, est encore enfant, lorsqu'a lieu le premier affrontement contre les français, pour la conquête d'Ath Jennad, Tizi Bounoual, en 1871. Chaque famille envoie un jeune en capacité de se battre. Mahmoud, fils de M'hend ou Belkacem, est l'un des deux morts enregistrés pour la famille Ath Slimane. Le deuxième est de la famille de Bnamar. Les deux martyrs, ont été ramenés par Amar Ouyahia, réputé pour être un colosse, portés sur ses épaules. Ils sont inhumés tous les deux dans la même tombe, à Annar.

1873

Belkacem, petit fils de Yahia premier, habite Anar, depuis plusieurs années. Il est père d'un petit garçon, Kaci. Un jour d'automne, il part pour le pèlerinage à la Mecque.

Quelques semaines après son départ, au milieu de l'hiver, la femme de Belkacem décède et son petit garçon, désormais seul, cherche protection hors de la maison de ses parents. L'absence du pèlerin se prolonge anormalement, et les habitants finissent par se persuader de sa mort dans un pays lointain. Des funérailles par contumace sont organisées.

1876

Plus de deux ans plus tard, un jour de printemps, le désormais Hadj Belkacem se pointe au village, et découvre en arrivant qu'il n'a plus de chez-lui. Son enfant est confié à des cousins et les frontières ont changé. Les parcelles de terrain sont redéfinies, et chacun a déjà pris sa part, sans lui.

Il paie d'abord à la mosquée du village les frais de ses funérailles à venir. Il se procure une épée et revient vers ses cousins, plus menaçant. Ils se résignent à répondre à sa requête à la limite du quartier qui commence à se profiler, agglutinant des chaumières pour la plupart. Il se rassure d'abord sur sa place dans le village, conscient de la famine et des maladies qui ravagent la Kabylie voila quelques années, il projette de partir loin. Il emporte alors son garçon pour aller le confier aux pères blancs, installés à Larbaa nat irathen, depuis quelques années seulement.

Darwich, fils Ali Agharvi, apprend à temps sur les visées de son beau frère. Il se précipite, l'intercepte et lui propose l'adoption de l'enfant. Le nouveau Hadj cède à l'offre et lui confie son fils unique. La famille d'Ali Agharbi récupère Kaci. Hadj Belkacem quant à lui se ravise et s'installe dans le village. Quelques années plus tard, sa santé physique commence à décliner, avant de perdre ses moyens mentaux. Comme pour le cas de beaucoup dans la région à cette époque, une épidémie l'emporte vers 1979.

1882

Le recensement commence en Kabylie. L'état civil est instauré, et les autorités attribuent désormais des noms de familles en fonction des groupes généalogiques, et des quartiers d'habitation, dans la région. Moh Amechtoh s'occupe d'un troupeau de vaches et de chèvres. C'est maintenant un homme bien constitué.

1885

Le phénomène d'exil ou d'émigration prend de l'ampleur avec l'extinction progressive de la dynastie des Ath Kaci. Recherchés par les français, les rescapés abandonnent leurs territoires, en échange de leur protection. Ces plaines fertiles, sont partagées en grande partie entre l'arch Ath Jennad, l'arch Larbaa Nath Irathen et ath irouvah.

Il y a cinq ans, une famille d'Iqejiwen quittait le village Igherviene, pour s'installer à Tamda. Le père, était encore jeune, mais il avait déjà une fille mariée à un homme du village, de la puissante famille Ath Khodja. Un garçon, Marzouk, était né depuis peu. A Tamda, la famille s'agrandit et Yahia est l'un des nouveaux nés, il vient au monde en l'année 1886. Ils rejoignent ainsi leurs cousins exilés depuis quelques générations, et deviennent à leur tour Ath El Hocine.

Vers la fin du siècle, les territoires d'Ait Kaci commencent à être rognés par l'envahisseur Français. Ath el-El Hocine se résignent à quitter Tamda, pour s'installer à Nezla. Pendant le déménagement, Yahia est encore un très jeune garçon. Il transportait une balayette artisanale comme effet de voyage, et son ainé Marzouk portait dans ses mains une louche en bois, manifestement plus lourde.

1895

Hlima, une poétesse, est sœur de Yahia, père d'une petite fille Fadma g-Yahia. C'est une belle femme, d'une grande de taille, aux yeux bleus et aux cheveux châtains et lisses. Très jeune, Fadma aidait sa tante à moudre le blé, au broyeur d'Anar, en fredonnant un chant ancestral. Vers ses 18 ans, Hlima est mariée à un habitant de Waânenas.

De cette union nait un garçon. Ce dernier tombe malade décède, bien avant l'adolescence. Leur vie de couple n'était pas une joie de tous les instants. Le mari violentait sa femme et la rabaissait devant les voisins, bien avant le décès leur fils, et encore davantage après sa perte du seul réconfort moral qu'elle avait dans la maison. Elle est âgée de 25 ans.

Yahia lui rend visite un jour, à cheval. Dans le cours de la conversation, il prend connaissance et conscience de la misère morale qu'elle endurait. Il se résout alors à la ramener définitivement auprès des siens. Elle amasse quelques effets personnels légers et grimpe le cheval. Le cheval n'a pas encore fait un pas, que les frères, les cousins du mari, et lui-même, s'empressent d'empêcher l'épouse de s'en aller.

Yahia met pieds à terre, pose sa main sur la gaine de son épée et lance .... *Akchich ghi cherken yemut, argaz degwen aydiqaraâ mara yawigh weltma.* « L'enfant qui nous unissait n'est plus, alors j'emmène ma sœur, et que le brave m'entrave le passage». Ils restent ébahis et passifs devant le spectacle de l'épouse libérée et son frère, sur le dos du cheval qui s'éloigne et disparait dans la brume nocturne.

1898

Slimane n-Mhend et Ferroudja Tadourt, avaient vécu de longues années seuls, sans enfants. Arrivée à un âge certain, Ferroudja commence à se soucier de la progéniture et de l'héritage pour son mari. Elle met un point d'honneur à ne pas faire trop de vague sur ses projets, et regarde dans l'entourage proche. Durant l'été de l'année 1898, elle lui ramène sa nièce Fatima, encore très jeune, comme seconde épouse.

Slimane, Ferroudja et Fatima, trouvent ensemble un compromis qui n'alimente pas les mauvaises langues, et s'établissent dans la modeste maison en bois d'Aznik teslent. Au bout de quelques semaines, la jeun épouse est enceinte de son premier enfant. Mahmoud est né au printemps de l'année 1899. Fatima devient Tadourt.

1899

Un terrain, de la taille d'agouni fergan, appartenant au village Ighil Tazert, de Larvâa Nat Irathen, était sous convoitise du village voisin qui commence à planter une clôture.

Les victimes de cette expropriation, demandent de l'aide à Moh Amechtoh et ses amis, Slimane n-Mhend et Amar ou Yahia entre autres. Moh Amechtoh suggère à ses amis de Larvâa ;

- J'irai les croiser à Djemâa n-Saharidj, à l'occasion du marché hebdomadaire, et nous aurons des explications, comme il faudra.

Les hommes de Tazert restent réticents à la proposition et expliquent ;

- Ça ne se fait pas qu'un étranger vienne réclamer un terrain. Ça serait plus judicieux de commencer par créer un lien de parenté. Vous auriez peut-être une fille qu'on puisse marier à l'un des nôtres.
- Non, mais j'ai un petit frère, d'un jeune âge, il pourrait bien épouser l'une de vos filles.
- Nous avons une petite fille, elle est encore très jeune...

Comme convenu, Moh ou-Mhend épouse Dahbia el-hanafi de la famille Hanachi.

Dahvia n'avait pas fini de refaire ses dents. Le mariage est célébré, Moh Amechtoh à maintenant l'habitude de rendre visite aux beaux parents de son petit frère. Il allonge à chaque fois le trajet pour traverser le terrain discuté. Les convoiteurs comptent désormais avec sa présence, et se ravisent sur leurs projets fonciers.

1900

Kaci grandit au sein de la famille d'ath ouacif, et reprend par abus de langage le titre de pèlerin sur son père Haj Belkacem, et devient Haj kaci à son tour. Haj-Kaci épouse Fetouma, une femme originaire d'ath Lhocine, une blonde aux yeux verts, petite fille du cavalier d'Ath Kaci, Taakas, vers 1900. Ils s'installent à Awin El Hadj à l'est du village. En 1901, ils ont un premier garçon, Mokrane.

1903

Jusque là, les célébrations de mariage étaient mixtes, homme et femmes. Il y avait souvent des joutes verbales, accompagnant des chants lyriques. L'heure d'Asvoughar et de la poésie est toujours très attendue, tant les hommes y participent avec les femmes, en alternant les voix. Haj Kaci lance en regardant la jeune mariée Fatima Tadourt ;

> ➤ *A teffahs Ou mellakou.*
> ➤ *Itsebwan ur irekou.*
> ➤ *Tin youghen tizyas techfou*
> ➤ *Tadsa ger meden ats tetsou*

- Ô pomme de Mellakou.
- Qui murit mais ne pourrit pas.
- Celle qui épouse un congénère s'en souvient
- Elle ne rit plus en public

Les gens comprennent qu'il faisait bien allusion à la différence d'âge entre elle et son mari. Fatima Tadourt lui donne une réplique plus vive, faisant référence au titre de pèlerin usurpé. L'ambiance devient gênante pour les uns, risible pour les autres, et le malaise pour les familles concernées est tel que les sages du village se résolvent à mettre un terme cette grande mixité dans les fêtes.

Fetouma talhocint décède alors que Mokrane n'a pas encore ses 2 ans révolus. Kaci retrouve le lien de parenté qui l'avait vu grandir, chez el hara nali-agharvi et épouse une femme des leurs, Fadma Namar. Elle est sœur de Mohand Wamar Ouacif. De cette seconde union, nait un garçon, Larbi, en 1904, suivi d'une fille, Malha, vers la fin 1907.

1908

Hlima demeure célibataire pendant quelques années, puis un homme d'un âge certain, habitant Veliès, demande sa main. L'homme, frappé de malédiction disait-on, entre accidents et maladies, ses sept épouses, sont toutes décédées chez lui, l'une après l'autre. Il veut conjurer le sort et forcer son destin, et cherche à se marier loin de sa région.

Il demande à voir la jeune divorcée, indiquée par ses proches, mais ça n'est pas dans la tradition du village. Il vient à Igherviene accompagné. Sur recommandation, il attend discrètement, pour voir la jeune femme, passant le sentier Tiberkoukin, pour aller chercher de l'eau à la fontaine du village. Il l'aperçoit de loin. Ravi de l'allure de sa future promise, il confirme « je l'accepte », à l'accent de Veliès. « qevyaghts » est prononcé trois fois. Elle l'accepte et l'épouse quelques semaines plus tard.

1910

Yahia Nath El-Hocine, est maintenant adulte. Il mène une vie de chasseur de prime. Il est connu en Kabylie, en particulier par ses pairs, et autres commanditaires, potentiels et habitués ou victimes de basses œuvres. Il se marie en 1909 et épouse Kheloudja.

Lounès, son frère ainé Arezki et le cadet Mohand, étaient encore enfants lorsque leur mère, apprenait de la part de son mari, Amar ou-Saïd, qui venait de rentrer, un soir à la maison, qu'il avait fini de brader ses terres, au profit de ses cousins, Amokrane et Hend Ouamar entre autres.

Tassadit, prise d'une crise de nerf à cause de la naïveté de son époux, décide de quitter le village sur le champ. Emporte avec elle ses petits, et laisse le mari seul à la maison. Arezki est âgé de onze ans. Elle se dirige d'abord vers Mira, son village natal où elle confie ses enfants à ses cousins, pour les garder le temps de retrouver sa liberté. Lounès et Arezki se mettent à travailler la terre. Mohand, quant à lui, a droit au pâturage.

La mère esseulée, marche toute la nuit jusqu'à Tawint ou-Lekhrif. Une famille immigrée d'Imesounen déjà sur place depuis longtemps, l'aide à s'intégrer aux habitants.

1912

Deux filles étaient déjà nées de l'union de Slimane et Tadourt. En 1911 nait Mhend, le cadet de la fratrie. Abdelmajid Djebrani est instituteur indigène au village ath wuchen depuis le début du siècle. Sa sœur est mariée à un habitant du village Iajmad, Meziane Yazourène. Amara, un jeune garçon, fils de l'instituteur, accompagne sa mère à Iajmad.

Elle rend visite à sa belle sœur, pour la féliciter. Elle vient de mettre au monde un garçon, Saïd.

1913

Le vieil époux de Hlima meurt quelques années après le mariage. Elle est depuis écrasée par ses beaux frères, et ses belles sœurs, qui osent désormais la frapper sans crainte. Un jour, dans une altercation qui suit une querelle, la belle sœur lui taillade le visage avec une faucille. Son frère Yahia, informé de l'incident quelques jours plus tard, fait intervenir Moh Amechtoh et l'indispensable Amar ou-Yahia et ses amis, qui se dépêchent sur les lieus.

Ils tabassent sa femme à la maison puis attrapent l'homme à l'extérieur et lui en donnent aussi pour son grade, avant de dégainer la menace imparable devant des villageois sidérés ; « Si vous touchez encore une fois notre fille, nous reviendrons ».

1915

C'est la grande guerre, la mobilisation bat son plein, et les jeunes de vingt ans sont tous concernés. C'est un service obligatoire. Abderrahmane a l'âge d'être enrôlé. Mais-il n'est pas retenu à cause d'une fracture au bras. Une chute de cheval salvatrice pour cet amoureux des chevaux.

1918

Fadma, la seconde épouse de Hadj Kaci est enceinte d'un autre enfant au début de l'année 1918. Mohand, nait quelques mois plus tard, et prend le nom de Moh el-Haj.

Haj Kaci décède vers l'année 1919. A la période où son père disparait, Malha reconnait des kabyles mobilisés, de retour de de la grande guerre. Son cousin, Mohand Tégaoua, n'est pas rentré. Il était mobilisé en début 1917. Il est mort au combat le 25 mars de la même année, en Lodève, dans l'Hérault. Il n'avait pas encore ses 20 ans révolus.

1920

Arezki et Mohand le frère cadet, continuent de travailler la terre. Arezki achète un terrain sur un certain cheikh Lwenes ou-Mensour d'Imsounen, et s'installe à Guendoul. Mohand, qui avait suivi le même cheminement que l'ainé, rejoint sa mère à Tawint ou-Lekhrif, où il finit par acheter un terrain et s'y établit.

Lounes, quant à lui, lassé du labeur des terres, qui ne lui procurait pas une passion, il commence à glisser progressivement vers le banditisme.

Ath Lkhodja, au nom de famille Ougharbi, est une grande famille du village igherviene. Des cousins proches des exilés à Ath Rehouna. Des gens puissants qui autre fois représentaient une protection, commencent à abuser de leur pouvoir. Les villageois ne manquaient pas de les maudire dans les prières. Entre accidents et maladies, ils commencent à disparaitre l'un après l'autre, au début des années 1920. Les seuls survivants sont la sœur de Yahiar, qui donnera une fille, Semhane, et deux autres filles mariées à l'extérieur du village.

Les exilés à Ath Rehouna, ont pris le nom de famille Ben Saïd. C'est une famille de Cheikhs, de plusieurs générations. Le dernier d'entre eux, est cheikh Arezki, âgé de plus 50 ans. Lorsque le père de Cheikh Arezki, revient à Igherbiene, pour instituer comme Imam du village, il n'avait plus de terre pour construire et s'installer. Les Ait Hocine leur cèdent des parcelles de leurs terrains abandonnés.

1924

La guerre du Rif bat son plein, et la France sort épuisée de la guerre mondiale. Elle doit chercher la réserve d'hommes dans ses colonies pour prêter main forte à l'Espagne, dépassée par les insurgés berbères du Rif. Au village, les jeunes arrivés à l'âge du service militaire sont mobilisés, à base de volontariat coercitif.

Mahmoud, fils de Slimane, est un jeune garçon doté d'un fort tempérament. Il n'a que 17 ans révolus. A priori il n'est pas encore tout à fait concerné. Moh-Saïd ou-Abderrahmane a quant à lui ses dix-neuf ans. Il est naturellement destiné à être engagé. Moh Amechtoh, parrain de la famille à cette époque, choisit au dernier moment d'envoyer Mahmoud au combat à la place de Moh-Saïd, considéré comme orphelin et fils unique. Selon Tadourt, le caractère de Mahmoud a aussi déterminé le choix de son oncle.

Il est parti pour la guerre, au même titre qu'un certain nombre de jeunes de la région, dont Hend Lewnis Bousmak, son congénère. En 1924, Mahmoud est tué au combat, sous les regards horrifiés de Hend n-Lounis et ses amis de fortune, épargnés. Mais Hend affirme que Mahmoud avait été tué sous un bombardement d'avion. Depuis le retour de Hend, Tadourt en veut à Moh Amechtouh d'avoir choisi son fils.

Larbi lhaj, frère ainé de Moh el-haj, meurt vers l'âge de 20 ans, tout au plus, alors que le cadet n'a que 6 ans. Fadma Namar, sa mère, meurt un an après le décès de son fils Larbi, vers 1926. Au cours de la même année, de Moh Amechtoh et Tagawawt, nait une troisième fille, Wardia.

1929

En hivers de l'année 1929, Mohand n-Amar demande la main de Fatima n-Saïd Ath Amar, une très belle femme, aux cheveux clairs, aux yeux verts, et dotée d'un fort caractère. Saïd Ath Amar et sa femme souhaitaient et acceptent cette union. Fatima fait plaisir à ses parents, sans davantage d'enthousiasme. Le mariage est célébré au printemps suivant.

Au bout de quelques mois d'une vie conjugale subie, Fatima est lassée de la modeste routine, sans grande passion, avec un homme qu'elle ne trouvait pas assez bien pour elle. Elle se résout alors à le quitter et ses parents n'ont pas la force de s'opposer de peur d'aggraver sa misère morale déjà très visible sur son visage fort amaigri.

Vers l'automne de l'année 1930, Amokrane hadj-Kaci demande la main de Fatima n-Saïd. Elle accepte et les épousailles se passent en été 1931. En 1932 ils ont une petite fille, Ghnima, suivie d'une deuxième fille Dahbia en 1933. Joher nait en 1936. Ghnima meurt d'une morsure de scorpion dans les terrains escarpés de Boughejdi. Les deux époux, affectés par la perte d'une fille, s'en remettent à Dieu, attendent et espèrent.

Jejiga 1932

Quand ils voulaient tuer cheikh Salah, ce dernier a envoyé Ahmed pour transmettre le message à Yahia de de venir,

- Pour aller où ?
- Iflissen
- Je vais aller sur place.

Il rencontre le tueur à gage du village Tifra, et l'interroge ;

- Tu as dépensé l'argent de la prime pour Cheikh Salah ?
- Oui,
- Alors tu rends l'argent ou je t'allonge.

Yahia revient à Timizart, et appelle,

- Cheikh, laisse l'homme sortir.
- C'est vrai si-Yahia ?
- Je ne parle pas dans le vide.

- Alors viens, on va aller voir un terrain à el-Hed, je le mettrai à ton nom.
- Non, moi j'ai besoin de recevoir des bénédictions, des prières pour mes filles. J'en ai beaucoup.

Il est venu à la mosquée de Sidi Mensour, il a fait un appel.

- Sortez ! oh habitants de Timizart, ...Je vous demande de réserver à cet homme une bonne hospitalité à chaque fois que vous le croisez.

1933

Depuis quelques mois, le lien s'est distendu entre Abderrahmane et Fadma Tadourt. Mhend ou-Slimane se marie avec Tassadit Meziane Agour. A la célébration du mariage, Abderrahmane décline sans trop de bruit l'invitation de son cousin avec lequel il est en très bons liens. A l'arrivée de la mariée à Awin el-haj, Abderrahmane tire des coups de feu de son fusil depuis chez-lui près d'Imezlay.

1934

Saïd ou-Rezki ou-Yahia, nait en juin. Tadourt, sort pour aller lui couper le cordon ombilical. A peine arrivée au chemin d'Azniq te-Slent, qu'on la rappelle pour revenir pour commencer par petit-fils Mohand-N-Mhend qui vient de naitre. Mais elle se résout d'aller accomplir sa mission d'abord chez les Ouyahia, avant de revenir auprès de sa belle fille Tassadit Meziane.

Moins de trois mois plus tard, A 800 km de là, le 2 septembre 1934, nait Elie Mourey, à Supt, dans le jura, en région de Bourgogne.

1935

Amar n-Hend et Moh Lhaj sont maintenant adolescents. Ils travaillent dans un hammam à l'ouest du pays. Un arabe employé du Hammam, provoque Moh el-haj à répétition, depuis plusieurs jours. Ce dernier le suit un soir pour connaitre son chemin. Le lendemain, l'arabe arrive à un endroit discret près de la gare. Il aperçoit Moh el-Haj et avance vers lui. Arrivé par derrière, Amar l'assomme d'un coup de bâton qui l'envoie à terre. Les deux le ligotent et le trainent jusqu'au rail le plus proche, où ils l'attachent. Ils le surveillent jusqu'au passage du train, qui arrive klaxonnant vainement de loin. Il passe et le décapite. Les deux adolescents repartent plus légers.

1938

Amar n-Hend a 20 ans. Il se marie avec Fadma n-Ali n-Amar, née de la première épouse d'Ali n'Amar. Titem est maintenant plus tranquille. Elle rentre le soir après la cueillette des olives, et la maison est bien tenue par Fadma. Elle veille aussi sur son fils, Mohand ou-Idir qui n'a pas trois ans révolus. Elle est toujours à ses petits soins.

Amar finit par la répudier. Mais Fadma et Titem demeurent très proches, et cette dernière perd ainsi un soutien fondamental dans la maison.

1939

Zi-Amar n-hend a épousé ensuite une certaine Fatima n-Hend ou Mhend, originaire de Houbeli. Je l'ai connue. Je connaissais son frère aussi, Mhend ou-Hend. Un militant de la cause nationale. Il rendait souvent visite à sa sœur.

1940

La France a déjà déclaré la guerre à l'Allemagne, suite à l'invasion de la Pologne en septembre 1939, et la mobilisation tourne à plein régime.

Amar n-Hend est enrôlé dans la drôle de guerre en 1940, en Belgique, à l'âge 22 ans. Mohand, l'un des fils de Yahia, et le neveu de ce dernier, fils de Lounès, sont aussi mobilisés. Ahmed Bounsiar est dans le service militaire depuis le 29 janvier 1938. Il s'était d'office retrouvé sur la ligne du front. Amar n-Hend est l'un des rares de la région à être envoyé dans le nord directement.

Les appelés pendant leurs instructions du service national, ont des permissions de 10 jours à 1 mois. Mais au front, en métropole, pendant la guerre, il y a seulement ce qu'on appelle un spectacle. C'est une permission de 12 à 48h, pour la défoule, boire pour oublier ou aller dans une maison de joie en ville.

Après la défaite du 10 mai 1940, suivie de l'évacuation de Dunkerque, la France a cessé de mobiliser. Les soldats sont laissés à la débrouille. Ahmed Bounsiar est maintenu dans l'Eure-et-Loir, sous la houlette de Jean Moulin, avec les 800 soldats résistants, non concernés par l'exode en cours vers le nord. Blessé au bras, Ahmed est réformé définitivement en fin novembre 1940 et rentre au pays.

Amar n-Hend, oisif depuis plusieurs semaines, s'évade des frontières belges à pieds. Son évasion se poursuit jusqu'au sud de la France. Après l'armistice de vichy, il s'incruste dans l'exode partant de Marseille vers l'Afrique du Nord. Il reste néanmoins hors de troupe, faisant sa cavale en solitaire.

Arrivé à la maison, en 1941, ses nerfs sont déjà mis à rude épreuve, et il devient agressif et dépressif. Sa femme ne reconnait plus l'homme à son comportement. Au printemps 1942, ils ont un garçon, Slimane, près d'un an après la naissance de Sadia, la fille d'Abderrahmane et Titem.

Quelques mois après la naissance de Slimane, sa mère ne supporte plus le comportement colérique de son époux. Elle le quitte et emmène avec elle son nouveau né.

Amar épouse une autre femme, d'Imsounène. Cela lui a permis d'aller ramener auprès de lui son fils. Au bout de quelques mois, il la répudie. Les prétextes ne manquent pas. Il retourne voir la mère de Slimane. Elle revient à la maison, l'argument de vivre avec son fils est imparable.

1942

Sous la pression de ses proches, à l'intérieur de la famille, pour répudier sa femme, Moh el-Haj finit par demander à Wardia de rassembler ses bagages, pour être prête quand il sera de retour. C'est la fin, elle doit partir.

Il attendait Moh Saïd ou-Abderrahmane. Ils se tiennent compagnie pour assister à un mariage dans le village. Ils profitent de converser sur les dernières péripéties du jeune marié et sa résolution. Moh Saïd écoute d'abord son cousin avant de dérouler l'étendue de son expérience conjugale. En rentrant le soir, Moh El-Haj, offre sa part de viande à Wardia. Elle doit maintenant défaire ses bagages.

1944

J'ai très peu de souvenirs de ma grand-mère Tawedrist. Elle s'énervait parfois contre nous quand on s'amusait dans ses parages. La mère de Vou-Ravaa, lui rendait régulièrement visite, c'était l'une de ses filles.

Nous sommes à Anar et Zi-Amar, est en ballerine. Il me demande d'aller lui chercher les chaussures. Je lui ramène alors ses rangers, qu'il portait durant la guerre. En arrivant il les regarde ;

- Ceux-là, tu ferais mieux de les porter toi, pour les user et les finir une bonne fois pour toute.

Sadia

Je me rappelle très peu ma grand-mère Tawedrist. Elle était aveugle et paraplégique. Son frère, c'était Arezki Moh Wedris, de la famille Maâmar, d'Ibsekrien. Le fils d'arezki s'est installé très jeune à Oran. J'étais très jeune à sa mort. J'en ai que de très vagues souvenirs.

1945

Achour n-Boujemâa, avait participé au débarquement d'Italie en début de l'année 1944, commencé en juillet de l'année précédente. Porté disparu pendant quelques semaines, il réapparait et prend part à la bataille de Monté Cassino jusqu'à la fin, en mai 1944.

Moh el-haj était mobilisé après la victoire des alliés en Sicile, en fin d'été 1943. C'est la fin de la guerre, et Moh El-haj s'apprêtait à retrouver sa terre natale, quand son chef est venu lui demander de remplir une tâche inhabituelle :

- Tu dois aller brosser mon cheval, il est dans l'écurie.
- Tu me prends pour qui pour demander ça ? J'étais ici pour combattre pas pour servir comme domestique.
- Vous, la race des bougnouls, vous n'êtes faits que pour ces tâches, ...

Moh el haj se retient sur le moment et s'en va calmement. Il se procure une bouteille de vin rouge, il prend le temps de la vider, afin d'avoir l'esprit clair. Il patiente un moment et revient plus tard en fin de journée retrouver son chef de compagnie. Il l'attrape, d'un coup de poing il l'envoie à terre, le balafre au visage avec un couteau, et manque de l'achever à terre, n'était l'intervention de ses camarades.

Ils le jettent à terre, puis en prison pour une durée incertaine. Il est présenté au bout six mois devant le juge. Il est sur le point d'être condamné à perpétuité s'il échappe encore à l'exécution.

Des liens ont été tissés depuis le conflit évité de Tazert, voila plusieurs années.

D'autres mariages ont été célébrés entre le village Igherviene et Larva nath Irathen. Moh El-haj est un ami de l'un d'entre eux.

Une quête est organisée par un certain Hanachi, cousin de Dahiba el-Hanafi, qui lui-même a vendu sa veste, pour cotiser, afin de payer un avocat. Une avocate communiste française, est sollicitée pour le défendre.

- Nous avons pris leur terre, ils sont venus mourir à notre place, ...
- Le juge est resté sans voix.

L'avocate domine le procès et Moh El-haj retrouve sa liberté. Il rentre au village, la peau collée sur les os, affaibli et méconnaissable auprès des siens. Larbi, son premier enfant, nait moins d'un an plus tard.

1946

Zi-Mhend avait une camionnette, pendant une période. Il arrivait avec son fils Mohand, lui expliquait et nous prévenait de ne pas s'accrocher pas à la cabine,...

Lui et Si-Ahmed Ath Cheikh, étaient des maçons professionnels. Ils faisaient la route quotidiennement jusqu'à Azeffoun et construisaient des villas pour les colons.

Mais la maçonnerie prospérait seulement durant le printemps et l'été. En hivers, les gens construisaient en argile, ils n'avaient pas besoin de maçon. Il lui arrivait de rester une longue période sans avoir d'occupation régulière dans le métier. Alors il s'est débarrassé de son véhicule. Ça lui coutait cher de l'avoir.

Mais lui, il était souvent recruté par des riches, qui avaient beaucoup de projets de construction, à l'image d'Ali Omar.

Il avait construit un entrepôt à Adghagh Amellal, avec une dalle de sol en béton, pour y ouvrir une boutique. Mais il n'avait pas les moyens de l'approvisionner, il avait une une grand famille à nourrir. Le local est resté vacant. Quand on revenait des soirées d'idebalen dans les villages près d'ighil, avec Mohand n'Mhend on y faisait escale pour éviter de réveiller les vieux au milieu de la nuit. Les gens craignaient les incursions nocturnes.

Il n'a pourtant pas été retenu par l'OS comme premier responsable régional, à cause de son travail chez Mhend Larvi, ce dernier étant considéré comme un commis de l'administration.

1946

Fatima n-Hend ou Mhend quitte de nouveau son mari, à cause de son état mental, laissant cette fois Slimane dans le foyer paternel. Elle est remariée à Iachouva peu de temps après.

Amar épouse aussitôt une certaine Fadma Moh-ou-Saïdh. Elle n'est pas la plus protectrice pour Slimane, qui parfois de faim, jetait des gousses de caroubier depuis la lucarne de la mezzanine pour ensuite les manger dehors. Mais elle était plutôt bienveillante envers son père.

1946

A cette époque, on n'entendait pas souvent parler des bandits et autres grands voleurs occasionnels de la région. Surtout pas devant les enfants, mais il y avait un certain Si-Lounes d'ath Lhocine. Il était d'un âge avancé. Lorsqu'il venait, il rencontrait son congénère Amar Ou-yahia à Annar. Ils se mettaient à raconter des histoires d'un passé déjà lointain, et même du présent, comme au sujet de Yahia Nat El-Hocine et Lounes Igherviene.

Le village Tafat était à une époque le plus éminent de la région. Il y avait un bureau de poste, un garde champêtre, une école, et ...un Caïd.

Vers le début du siècle, le père de Vouravâa vole une jument au caïd de ce village. Il la ramène et l'attache au caroubier de Boughejdi et prend soin de lui apporter de l'eau et du foin.

Il met au courant Amar ou-yahia, et ce dernier, enchanté de cette confidence, se place comme diplomate et se met à chercher une solution profitable à tous. Aux yeux des gens, il est dans la démarche de rechercher l'animal. Il laisse entendre qu'il serait vaguement au courant des tenants de l'affaire. Il fait courir le bruit jusqu'au caïd que le voleur réclamerait une rançon. Il s'installe comme intermédiaire. Le caïd cède à l'offre, Amar ou-Yahia empoche la rançon pour le compte du père de Vouravâa. Amar ou-yahia se charge de rendre l'animal au Caïd. Et les deux compères se partagent la rançon.

1946

Zi-Mohand marchait beaucoup dans le froid, dans la neige, pour accomplir ses missions politiques, comme les réunions, les transmissions de messages et la distribution des tracts. Les réunions avaient souvent lieu soit à la mosquée, soit dans dans les buissons d'Azrar, afin de rester loin des regards et des oreilles indiscrets.

Zi-Mhend ou-Slimane, Zi-Moh el-haj, Mohand n-Saïdh Ouacif, Mohand Saïd Moh ou-Lhocine, Mohand Amokrane Tighilt Ferhat et son frère Mhend ou-Mokrane, Moh ourezki n-Saidh Ouali Amrous, Mohand n-Moh ou-Saïdh, Mohand n-Moh ourouji, Zi-Mohand et Tahar Moh belhaj étaient les militants PPA du village.

Saïd Adour, c'est lui qui a ramené le mouvement national dans la région. Il était le chef de la région à l'époque et Ouali Benaï était son chef direct.

Il aurait réclamé une rétribution pour sa tenue de la permanence du mouvement, disait-on, arguant qu'Ouali Benaï, lui, était payé pour ses horaires formels. On disait que Saïd Adour se serait retiré à cause du refus de la direction de lui accorder un salaire. Bien par la suite est apparu le nom d'un certain Vriroche.

Zi-Mhend-ou-Slimane, Mohand Amokrane et Moh ou-Rezki n-Saïdh-Ouali, se rendent chez Saïd Vriroche pour le voir, à Iajmad. Il avait alors confectionné entre trois murets de pierres un café maure de fortune à ciel ouvert. Il préparait du café pour ses clients qui passaient leur temps à jouer au poker. C'était son commerce, un gagne pain.

Ils le prennent à part et commencent à lui parler politique. Ils finissent par le convaincre de mieux s'impliquer dans le PPA. Il finit par en être chef pour la région nord de Kabylie. Moh-ourezki m'a affirmé qu'il était seul à avoir accompagné Zi-Mhend. Un autre a soutenu que c'était Mohand Amokrane seul qui était avec Zi-Mhend.

1947

Durant la période de seconde noce, les déceptions sont à peine cachées sur ses premières naissances, et presqu'un en désillusion sur son avenir, Mokrane, envisage de vendre ses terrains inutilisés. Il commence alors par se débarrasser de sa part de cactus à Tikoul.

Fatima commence à vivre un calvaire avec son deuxième mari, qui attendait un garçon. Un jour, en ce début de l'année 1947, au petit matin, rongée de remords et de hantise d'un mauvais sort qui serait jeté sur son foyer, Fatima quitte sa demeure à l'insu de

Mokrane et rend visite à son premier mari, ce n'est pas encore l'aurore. Mohand Namar s'était déjà remarié avec Fadma Moh Velkas, et ont un garçon, Arezki, depuis 9 ans. Elle l'embrasse sur le front et lui demande pardon pour l'abandon. Fatima prend congé et presse le pas pour rentrer avant que Mokrane et ses filles ne se réveillent. Quelques semaines plus tard, elle est de nouveau enceinte.

1947

Cheikh Erravie, du village Ighil Lakhmis, instituait comme imam dans le village Igherbiene, est venu voir mon père et lui a proposé de m'envoyer pour intégrer la zawiya. Il trouvait que j'étais bon élève. Je retenais facilement les versets coraniques.

Mais mon père pensait d'abord à ces chèvres qui assuraient le beur, le fromage et le lait, et parfois on en vendait un bouc. Il a décliné alors la proposition du cheikh.

J'ai intégré par la suite l'école d'Ibdache. Pendant près de deux ans je prenais plaisir dans les apprentissages. Les professeurs appréciaient mon travail. Ils disaient 'c'est joli'. Les deux professeurs étaient Kabyles, de la région. L'un des deux était d'Ibdache même.

Sedik, Mohand n'Mhend et moi étions tous de la même classe. En sortant des cours en fin de journée, nos ainés comme Saïd n'Bnamar et ses congénères d'ibdache, nous haranguaient pour nous battre avec nos camarades d'ibdache. Nous et eux, on avait toujours le nez ensanglanté. Les ainés devaient avoir 4 ans de plus que nous. Ils ne se bagarraient pas entre eux, mais ils aimaient nous voir en spectacle.

Lors de la période de vacances scolaires, j'allais souvent chercher du bois. La tâche qui prenait le clair de mon temps. A la fin des vacances, personne à la maison ne m'a suggéré de retourner à l'école. Zi-Mohand et Zi-Ahmed voulaient que j'arrête l'école et que je poursuive le ramassage du bois.

Ighervien 1947

Notre agriculture était basée sur l'huile d'olive, et des figues sèches. On en vendait beaucoup. Il en restait toujours pour notre propre consommation.

Le troupeau de chèvre, est une association avec Moh ou-Mhidine, déjà émigré en France, et les vaches sont une association avec Moh Belhaj. Mon père ne peut acheter de bétail, il achète des terrains à Kahra et Tighilt Ferhat, qu'il cultive. Avec l'argent de la récolte on achète vêtements et nourriture.

Zi-Mohand vendait des figues sèches à Tizi Ouzou. Ali Omar passait avec son camion et ramassait les vendeurs avec leur production. Avec les recettes d'une saison on a acheté une paire de bœufs de trait et de labour.

Printemps 1947

Depuis le 16 février, Ouacel Ali est condamné à mort par Ath Jima, village d'Oumeri. Ali se rend à Tizi Ouzou, en quittant clandestinement le village. Un jour, un de ses proches parents lui apprend l'arrivée imminente du frère d'Oumeri qui s'était lancé à sa poursuite. Ali gagne aussitôt Marseille par bateau. Après quelques jours, il prend le train pour Paris et s'installe au 11ème arrondissement.

Wrida 1947

Lounès n'Amar ou-Saïd vivait le clair de son temps à Larbaa Nath Irathen. Il marchait beaucoup, il aidait les gens comme chasseur de prime, l'un est agressé, l'autre a été volé, il devait alors intervenir. Mais il revenait au village de temps à autre, pour se réapproprier ses terres.

Les gendarmes l'avaient blessé, et se sont mis à sa poursuite. Rattrapé après un long parcours près d'Azazga. Capturé, Lounès est jeté en prison à Tizi Ouzou.

Sa mère lui rendait visite régulièrement. Mais il avait trop d'ennemis. Près d'un mois après son arrestation, il est mort, manifestement empoisonné par des habitants de Larbaa nath irathen.

Le commissariat a pris contact avec sa mère. A son arrivée, les policiers se lèvent et retirent leur chapeau en signe de respect. Des funérailles protocolaires, ont été organisées en présence de sa mère et ses frères. Il est enterré au cimetière de M'douha.

Jeudi 30 octobre 1947

Au bout de 9 mois d'impatience, Mokrane, qui manque d'exploser d'angoisse, s'empresse d'aller chercher l'épouse de Saïd Ath-Amar, pour venir auprès de sa fille qui va accoucher. A Tiberkoukine, sur le chemin de retour vers Ath Slimane, Mokrane prévient sa belle mère, « si elle accouche d'une autre fille encore cette fois !... » ...la vieille l'interrompt de sa main tendue comme pour l'empêcher physiquement de finir ses mots, « fais confiance à Dieu». Fatima accouche de son premier garçon.

Rassuré sur son avenir, Mokrane s'envole pour Metz, où les mines et les usines offrent un avenir meilleur.

1948

Tout comme son frère ainé, Moh El-haj émigre à Metz immédiatement après la naissance de son deuxième garçon Belkacem, en l'année 1947. Ils sont un certain nombre à avoir choisi la même destination. Arezki n-Saïd ath Amar, Belkacem n-Mohand Akli et les fils de Moh ou-Mhand, y étaient déjà installés. Il y avait du travail pour tous les jeunes et les moins jeunes, kabyles en bonne santé.

1948

Tahar était très Zélé durant les premiers temps. Mais il avait de l'arrogance envers les gens, il commettait des injustices.

Il ne travaillait pas chez les gens. Il avait le temps de s'occuper de la politique. Il se montrait comme le plus riche du village. Il était bagarreur, mais il savait choisir ses cibles, il n'attaquait pas les plus durs qui lui donneraient une leçon.

Moh ourezki ou-yahia était associé chez Moh Belhaj. Un jour il s'est rendu chez eux, pour en finir avec l'association, il en était usé. L'épous de Moh Belhaj lui a retiré ses bottes artisanales. Il est rentré chez lui pieds nus. En sortant, Tahar le provoquait, et Moh ourezki lui a répondu ;

- Si tu ne le racontes pas à ton père, tu viens quand tu veux, je suis prêt pour une bagarre.

Dahvia - 1948

Avec Zehra et Sadia, on était la même maison à l'époque. On vivait et on jouait ensemble. Elles venaient souvent, elles passaient par le terrain d'ath el-Hocine, et elles arrivaient dans Awin el haj.

Un jour, ma mère m'a dit, prends le panier et vas acheter des œufs, aujourd'hui on va avoir des invités. Elle préparait des crêpes. Vava Abderrahmane, zi Amar n'Hend et Yema titem sont venus quelques heures plus tard dans l'après midi. Mes parents ont accepté, j'avais 12 ans.

1949

Messali est en visite dans la région. A Aghribs, il fait escale et fait un discours sur un rocher. Un homme lui tenait la main tout le long de son allocution pour assurer son équilibre, car en parlant il gesticulait beaucoup des mains.

Nous sommes tous allés le voir à Agouni Cherqi. Il y était venu ce jour là, car c'était le jour du marché. Pour s'adresser à une assemblée publique assez nombreuse. Saïd Adour traduisait au kabyle ce que disait Messali, en français et en arabe.

A la fin de son discours, il est parti d'Agouni Cherqi pour se rendre à Timerzuga à bord d'une voiture. Nous les jeunes, avons fait la route à pieds. Nous sommes quand même arrivés à Timerzuga bien avant lui. Tahar Moh Belhaj était notre chef. C'était le chef des jeunes militants.

A la fin de son discours à Timerzuga, Messali échange une embrassade avec Na Tadourt. Saïd Adour, un cousin éloigné de Yema tamghart, le reçoit chez lui pour déjeuner, à Timerzuga, dans cette maison en pierre près de Tala t-Gana. Pour la soirée, il est invité chez des gens à Ighil Mehni, pour diner et y passer la nuit.

Tahar Moh Belhaj, était un bagarreur de renom dans la région. Il avait souvent des duels avec des jeunes de sa génération, parfois plus âgés, venus d'Iajmad, qu'il rencontrait dans le café d'Ali Omar, dont un certain Achour n-Boujemaa ou-Idir et son cousin Ali n-Saïd ou-Larbi. Tahar s'imposait à chaque fois.

Son ami de l'époque, c'était Atermoul. Un homme hors catégorie, du village Imsounène. C'était un tueur, un dur.

1951

Zi-Ahmed a été le premier d'entre nous à quitter le village. Mon père gérait un Hammam à Saïda. Il disposait d'une cuisine à lui seul. Zi-Ahmed travaillait et logeait sur place. Il mangeait bien à cette époque. Mon père lui ramenait un cheikh à sa loge pour lui enseigner le Coran et la langue arabe, après la journée de travail.

Sadia 1952

Un jour je quittais la maison, quand je suis tombée sur un homme, qui arrivait vers chez nous. Je ne le regardais pas dans les yeux. Je lui dis machinalement, « bonjour Zi Mhend ». Il me répond « bonjour », et là je comprends qu'il s'agissait d'un inconnu. Il cherchait après Zi-Mohand.

- Est-ce qu'il est à la maison ?
- Il n'est pas là, mais je vais l'appeler, en attendant allez rester à l'intérieur.

Il y avait une pièce face de notre maison, elle servait à recevoir des gens pour des réunions en tout genre. Mais il ne fallait surtout pas que les voisins le voient. Certains voudraient contrôler et s'informer sur tout ce qui entrait et sortait.

Je me rends à Assiakh, j'y trouve Zi-Mohand qui débroussaillait le terrain, je le préviens qu'il est attendu. Nous sommes rentrés ensemble, sur le chemin on discutait.

Na-Zahra était dans la cuisine, elle va dans la pièce d'en face pour chercher de l'huile et y trouve l'inconnu. Surprise, elle en ressort furtivement, et croise ma mère ;

- C'est notre invité, donne, je vais m'en occuper, tu peux retourner dans la cuisine.

En arrivant, Zi Mohand voit notre invité, et se tourne vers moi ;

- Merci ma nationaliste préférée. On va te marier à un beni oui-oui, pour le ramener au nationalisme.

Automne 1952

Après sa fille née deux ans plus tôt, Mohand ou-Abderrahmane a son deuxième enfant, un garçon. Il passait les journées à retourner la terre avec une paire de bœuf à tighilt Ferhat. En rentrant un soir à la maison, il s'aperçoit qu'il n'y avait pas un bout de tissu pour emmailloter son nouveau né, selon la tradition Kabyle. Il se résout sur le champ à revoir ses projets. De courtes semaines plus tard, il est prêt pour « traverser ».

Fin décembre 1952

Quand le tour de Zi-Mohand est venu de partir, ma mère m'a raconté qu'il avait failli en venir aux mains avec Zi-Mhend. Ils se sont sérieusement embrouillés. Car Zi-Mhend voulait le retenir pour continuer le militantisme avec lui dans le village.

Zi-Mhend n'avait pas ce problème avec les autres militants comme Zi-Moh el-Haj, Mhend ou-Mokrane et Mohand n-Moh Ourouji, partis quelques mois plus tôt, car ils échangeaient les courriers et les messages. Mais nous avions des dettes. Nous venions d'acheter Tamaright à Ath Adas, et nous étions loin de finir le paiement.

Saïd Wali, frère de Dahbia, est venu à la maison. Nous nous sommes levés très tôt. Juste avant son départ, j'avais un béret sur la tête, et Zi-Mohand me l'a retiré pour le porter et partir en France avec. Il n'y avait que ça. C'était l'hiver.

Saïd Wali et Zi-Mohand se sont tenus compagnie sur route jusqu'à Alger, puis Zi-Mohand a pris l'avion pour Paris, et l'autre partait pour Saïda. Moh ourravie a pris le vol aussi avec Zi-Mohand.

Sadia

Zi-Mohand était arrivé à s'endetter même pour acheter les épices rouges. Il est parti en France alors que Saïd n'avait que 9 mois.

J'étais chez Zi-Mhend. Ils habitaient à Awin el Haj. Ils avaient deux pièces. Il m'arrivait souvent de passer la nuit chez eux, je demandais la permission à ma mère, ça ne la gênait pas. Les filles de Zi-Mhend étaient nombreuses, on était dans une pièce on discutait jusque tard la nuit.

Quand Zi-Mohand est parti en France, zi-Mhend l'a très mal pris. Il a lancé,

- *youkel taqavacht, Ça fait thowra-ni teqim* -Il a marché sur une hache, donc maintenant la révolution est laissée de côté.

Les femmes présentes se sont toutes tournées vers moi, épiant ma réaction. Zi-Mhend s'en fichait complètement et continuait de distribuer la parole. Il avait l'habitude de me voir là. Mais ils savaient tous que je n'allais rien raconter à mon retour à la maison.

Dahvia -Printemps 1953

A chaque fois qu'on appelait Vava Abderrahmane pour venir fêter le mariage, il y avait un terrain mis en vente, et lui, il l'achetait, et nous, on reportait à chaque fois l'évènement. Je n'ai eu la célébration de mariage que près de 5 ans plus tard, à l'âge de 16 ans. Je suis arrivée au printemps. Très vite après la célébration j'ai commencé à cultiver les légumes printaniers.

Chaque mois mon père disait « il faut donner doro el watani ». On savait qu'il partait la nuit, parfois une semaine, d'autres fois même 15 jours. Quand on lui demandait où il allait, il disait, « on va surveiller le groupe d'Ahmed Oumeri ».

Il a toujours eu un fusil de chasse. Bien avant le mariage je l'aidais à fabriquer les cartouches de plomb et de baroud. On n'avait pas encore le moule.

On faisait fondre le plomb, on enroulait la terre autour d'une tige en bois. Percé de plusieurs trous. On coule le plomb. Une fois refroidi, on mettait le moulage dans une pierre creuse, et on broyait avec une pierre lisse, pour démouler.

Même après le mariage, quand mon père rentrait, on m'appelait, et on passait la nuit à fabriquer les munitions ; le petit plomb, la chevrotine... A mon retour à la maison au petit matin, yema Titem demandait « qu'est ce que tu faisais ? » je trouvais toujours un prétexte mais je ne disais jamais la vérité. Par la suite les maquisards nous ont fourni un moule, et on allait plus vite dans la fabrication des cartouches.

Fin mai 1953

C'était durant le Ramadan de l'année 1953, Tahedrit et Moh Namar sont venus demander la main de Na-Zehra. Vava Abderrahmane faisait paître les bœufs à Ighil. Ahmed dormait encore. Je l'ai réveillé pour aller prévenir son père qu'il vienne parler avec les hommes.

Eté 1953

En été nous avons célébré le mariage de Na Zehra. Il n y a pas eu beaucoup de temps entre les fiançailles et le mariage. C'était comme ça à l'époque, le mariage était facile.

Avec un cheikh, on lisait la *fatiha* et on pouvait clore l'affaire.

Octobre 1953

J'ai poursuivi dans le pâturage jusqu'à l'automne 1953. Lassé de cette vie sans horizon, je me suis rendu chez Idir ou-Saïdh.

- Il faut que je vienne avec toi à l'ouest.
- Tu l'as dit à ton père ?
- Oui bien sûr. Il n'en était rien en vérité.
- Alors il te faudra apporter 1000 francs.

Puis je suis allé voir Moh Belhaj ;

- Mon père te sollicite pour un emprunt de 1000 francs.

J'ai récupéré les 1000 francs et préparé mes affaires pour prendre la route avec Idir ou-Saïdh.

J'ai lancé à ma mère, au sujet de mon père et du bétail, « je vais les lui laisser dans l'écurie ». Mon père travaillait à Azaghar. Zi-Mohand était déjà en France. Zi-Ahmed était aussi un agriculteur.

Pour aller à Saïda, on a pris le car jusqu'à Alger. On y a diné au restaurant. Le serveur me dit, baisse toi pour ne pas être gêné par la serviette. Je découvrais ça. On n'a connu que djefna à la maison. Ensuite on a attendu le train. On a pris le train de nuit, et nous sommes arrivés à Saida au petit matin.

A Saïda, je travaillais au Hammam, mais je ne touchais pas d'argent de la part du patron. Idir ou-Saïdh s'alternait avec son cousin. Ils géraient le Hammam. Ils embauchaient et tenaient la caisse. Seuls les pourboires me permettaient de vivre un peu quand je sortais en ville.

Novembre 1953

Yahia se satisfaisait souvent des prières invoquées par tous les gens à qui il avait porté secours, dont le cheikh Salah. Les filles de Yahia s'épanouissent et grandissent. Elles connaissent la santé le charme et une certaine aura. Ses garçons, quant à eux, ont des vies plutôt discrètes et modestes en termes d'influence.

Il y a plus de trois ans, Yahia disparaissait. Taguemount demande la main de de Wrida, la fille cadette du chasseur, pour son fils Ahmed. Elle a entre 12 et 13 ans. Kheloudja n'est pas enthousiaste à l'idée de marier sa fille si jeune. Baya, sa fille ainée, réagit ;

- Maman, laisse-la se marier. Chez les Moh Amechtouh, elle va au moins manger à sa faim, ici on crève dans la misère.

Lounès, dit Vava Lounes, frère cadet de Yahia, devient le tuteur de la famille depuis le décès de l'ainé. Il marie alors ses filles.

En novembre 1953, Ahmed épouse Wrida, avant de s'envoler de nouveau pour la France, en vue d'un bel avenir pour sa petite famille.

La sœur de Yahia restée au village, mariée à un homme d'Ath el-khodja. Elle a une fille, Semhane. Cette dernière épouse Mohand Amokrane Tighilt ferhat.

Wrida

Je suis mariée trois ans après le décès de mon père. Je ne l'avais pas suffisamment connu. C'était un agriculteur au début. Il payait un ouvrier pour travailler son exploitation. Lorsque ses enfants étaient adultes et autonomes, ils ont pris le relai, et s'occupaient de la paire de bœufs pour retourner la terre.

Mon père et Zi-Abderrahmane faisaient souvent affaire ensemble. Ils avaient des liens plus souvent basés sur le travail et l'échange. Parfois ils se tenaient compagnie au marché hebdomadaire, pour écouler leurs récoltes. Mais leurs chemins ont fini par se séparer tant les objectifs et leurs modes de vie respectifs se ressemblaient de moins en moins.

Mon père protégeait les gens. Il se battait pour les pauvres. Quand quelqu'un était agressé, il venait demander secours auprès de lui. Si quelqu'un se faisait arracher ses biens, il intervenait et menaçait, « tu rends à un tel ce que tu lui as pris ou je t'allonge ». Il disait, « j'ai toujours pitié des pauvres » et il refusait de recevoir d'eux de l'argent. Il ne demandait que la prière pour ses filles. Il était toujours à cheval, avec un fusil, un sac de munitions, et un ceinturon. Il a émigré en France pour travailler pendant cinq ou six ans puis il est revenu.

Il avait les cheveux roux. Ses moustaches étaient blondes, bien fournies et grisonnantes. Ses yeux bleus ne passaient pas inaperçus. Il avait un bon gabarit bien constitué et musclé.

Il était de taille moyenne, ni petit, ni grand. Il avait beaucoup de charisme. Il est mort quand j'avais à peine 10 ans. Il avait 63 ans. Ses cheveux n'étaient pas encore grisonnants.

Sadia

Na-Tadourt disait « Sadia ne sortira pas de cette maison ». Elle me voulait pour Mohand. Mais Mohand était pour moi comme un frère. On partageait des confidences. On s'entendait bien, mais nous étions loin des projets de Yema Tamghart. C'est surtout ma mère qui n'en voulait pas ;

- On a pris leur fille. Ce n'est pas pertinent ni nécessaire que ça devienne un échange.

Mohand avait épousé Fatima n-Hend-Lewnis. Elle était très belle, au trait fin. Mais na-Tassadit Meziane était un peu jalouse d'elle, et supportait de moins en moins sa présence. Un jour, elle et Zi-Mhend l'ont répudiée. Mohand n'avait pas le dernier mot. Même après ce divorce forcé, il me racontait qu'il était encore et toujours fol amoureux d'elle. J'ai le même âge qu'elle, ainsi qu'Akli n-Cheikh Salah.

Dahvia - Mai 1954

Moh belhaj est arrivé avec son fils pour demander la main de Sadia. Ahmed était opposé.

- On ne peut pas se lier à ces gens là. ils sont plus riches, ils ont de l'influence, Tahar est trop belliqueux. Ce n'est pas notre genre. On risque d'avoir des ennuis avec eux.

- Quand tu auras ta fille, tu décideras d'elle de son destin.

Vava Abderrahmane lui a répondu sans laisser de place à la concertation.

Zi-Amar n'Hend s'est également opposé à ce mariage.

Wrida - 10 juillet 1954

Sadia est mariée à Tahar Moh Belhaj très jeune, vers ses 13 ans, alors que Dahbia n-Mhend est enceinte depuis un mois de son premier enfant. La célébration du mariage a été grandiose, limite exubérante. Une troupe Ideballen a assuré une ambiance festive éclatante. C'est une fête que personne d'autre dans le village n'avait les moyens d'organiser à cette époque. Arezki, frère de Lounès, est venu assister à ce mariage. Sa femme, Fadma oulhaj est sœur de Moh Belhaj.

Saida- Juillet 1954

Je travaille à Saïda depuis 9 mois. Mamis arrive pour remplacer Idir ou-Saïdh, son demi-frère, et m'annonce une nouvelle ;

- Ahmed va avoir son premier enfant.

Je m'apprêtais à quitter Saïda. Idir ou-Saïdh m'a donné 9000 francs comme salaire pour les 9 mois. Ce n'était pas assez pour revenir à la maison et acheter quelque chose pour ma mère. Je ne pouvais pas retourner comme ça au village.

Si j'étais sous la responsabilité de Mamis, je serais mieux payé. Il était généreux. Mais Idir ou-Saïdh m'a rendu service. C'est grâce à lui que j'ai quitté la misère du village.

30 juillet 1954

Saïd n-Bnamar et moi, sommes tous les deux perplexes sur notre nouvelle destination. Nous décidons finalement de filer vers Mascara, dans un hammam, tenu par Moh Saïd Ouali Tighilt Ferhat, qui nous reçoit ;

- Il y a seulement un poste d'apprenti dans le Hammam.
- Vous prenez l'un de nous deux alors ? demanda Saïd
- Toi, tu as de l'expérience, mais tu ne resteras pas longtemps sur ce poste. Mohand ou-Idir n'a pas d'expérience, mais il pourra y tenir longtemps. Alors je c'est lui que je vais retenir.

Saïd-n-Benamar n'était pas mécontent que je sois retenu. Il a été ainsi le premier à me recommander pour un travail dans cette région.

A Mascara, le patron du Hammam était Moh Saïd Ouali. Il me payait un salaire plein, et lorsqu'il a été remplacé par son frère Ali n-Saïd Ouali, il a laissé à ce dernier la consigne de me « payer comme un adulte ».

20 Aout 1954

Lorsque Sadia est mariée, je devais être à l'ouest. Car je ne me souviens pas de son mariage. Zi-Ahmed devait être présent, car on ne pouvait pas tous s'éloigner en même temps. A la maison il y avait les brebis, les chèvres, les vaches, un âne et un cheval. Mon père travaillait la terre à Azaghar, il n'avait pas le temps pour le bétail.

30 Aout 1954

J'avais travaillé quelques semaines, quand Zi-Ahmed s'est pointé à la porte du Hammam. Il revenait de Saïda, où il travaillait, mais il n'y était pas assez bien payé. Il vient alors à Mascara et demande à me voir pour me signifier de repenser mes projets ;

- Il faut que tu rentres à la maison, il est temps que tu ailles voir les parents. Il y a la moisson des céréales à terminer. Je vais devoir te remplacer ici.

Il se veut rassurant,

- Il ne reste qu'une partie des céréales à faucher et récolter et tu n'auras pas d'autres taches à remplir. Nous sommes en milieu d'été 1954.

Je n'étais pas très content de laisser ce poste et je ne voulais pas rentrer. J'ai dû quand même céder le poste à Zi Ahmed et j'ai regagné le village.

Je suis resté de courtes semaines au village, pour finir le fauchage des céréales. Une fois la récolte terminée, je ne voulais plus y trainer davantage. Je me suis redirigé de nouveau vers l'ouest.

Début septembre 1954

Je suis arrivé à Oran, j'y ai travaillé plusieurs jours. Un jour, j'étais en train de discuter avec un Ouacif, un homme d'un âge certain, qui m'a suggéré ;

- Si j'étais comme toi, jeune et bien portant, je m'engagerais dans l'armée pour aller combattre en Indochine. C'est très bien payé.

On pesait les engagés, et c'était 1000 francs le kilo. Pour un homme de 50 kg, on donnait 50 000 francs. Pour l'époque, c'était une belle somme.

L'idée m'intéressait pendant quelques temps, et je m'y apprêtais. Au hammam, je voyais de temps à autres des clients de la région d'Oran, qui rentraient d'Indochine, mutilés, l'un amputé de sa jambe, l'autre de son bras. Très rapidement j'ai fini par renoncer à l'idée. Je ne voulais pas rendre ma mère encore plus malheureuse qu'elle ne l'était déjà par mon éloignement.

Fin Septembre 1954

Vers la fin septembre je me suis dirigé vers Belabas, puis à Ghilizane, et j'ai fini à Sfizef. Là-bas, je travaillais beaucoup d'heures dans la journée et j'étais bien payé. C'est une ville de la région de Tlemcen, mais je me sentais isolé du monde. J'avais peu de nouvelles du pays.

Novembre 1954

Parfois j'allais rendre visite à Zi-Meziane et Moh Saa n'Ali Namar, à Bélabas, pour avoir des nouvelles. Le 1er novembre, je travaillais au hammam à Sfizef, et des goumiers arabes rentraient en tenue militaire. On ne savait pas ce qui se passait, mais on se doutait de quelque chose. Tout est secret, et rien dans la presse.

Boukejir revient d'Azeffoun totalement saoul, comme à ses habitudes. Dans le bus, il fait un petit somme, et rêve d'une scène, qui le réveille, malgré sa fatigue.

Alors il s'approche de deux passagers ;

- Nous sommes attendus. Vous deux vous allez être abattus dans une embuscade tendue après le prochain arrêt.

Le premier le prend au sérieux, et descend avant l'arrêt Tiwidiwine. Le deuxième se moque de lui et de son histoire.

- Tu divagues, tu es saoul... !

A son arrivé à la sortie Twidiwine, le bus est arrêté par une embuscade tendue par les maquisards. Ils le font descendre et l'exécutent sous les yeux ahuris des autres passagers. C'était le fils de Mhend Larvi. Mhend Larbi a un café et une boutique à Adghagh Amelal, et un bus. Ali Omar a un café et une boutique à Agouni Temlinin, et un bus.

Ils ont été ciblés pour leurs candidatures aux élections l'année précédente et ils étaient tous les deux représentants administratifs locaux, d'après un journal de Vriroche.

Décembre 1954

Moh el-haj travaillait à Metz depuis quelques années. Son vieil ami Hanachi de Larbaa Nath Irathen, entre autres, lui proposent de rester en France pour s'associer dans un commerce. Moh el Haj tape fièrement de sa main sur ses pecs,

- Ceux-là ne sont pas faits pour une cravate mais pour recevoir des balles.

Il rentre au pays en début d'automne.

Sadia

Mon père achetait des terres à Tamaright. Des qu'Ath Adas mettaient une parcelle en vente dans les parages, il prenait des dettes pour les acheter. Il ne voulait pas que des gens construisent à notre voisinage. Lui, il ne voyait pas la misère, car il vivait en ville, il mangeait bien. Mais ma mère elle, n'était pas dans l'aisance au village. Alors elle se plaignait souvent et le maudissait pour ces dépenses qui n'en finissaient pas.

On avait déjà réparti les terres avec Zi-Amar, par la suite, Zi-Amar a vendu les terres de Tamaright Bwada aux fils d'Arezki ou Yahia. A l'époque Moh ou-rezki et Said, étaient les plus riches du quartier. Ils avaient du bétail, et surtout ils travaillaient tranquillement au Hammam, ils n'étaient pas concernés par les évènements en cours.

Janvier 1955

D'août 1954 à janvier 1955, j'étais à Sfizef. Bien payé, logé et nourri. Le patron était d'Ihnouchène. Il connaissait mon père, son fils a épousé la fille de Moh Belhaj. Mais je m'ennuyais de cet isolement.

Je reviens alors à Oran vers le 10 janvier pour changer d'air. Il y avait des habitants de la région, ça permettait d'informer sur le pays. La ville est très grande et plus belle. C'était agréable pour les promenades après le travail.

Je travaillais à Oran pendant quelques jours, jusque fin janvier 1955, et Mouloud ou-Chelaôud est venu me voir, pour me prévenir au sujet de Zi Amar ;

- Il est là-bas dans un café, il te cherche, il est malade.

Je le ramène alors au village. Mon père n'en était pas content. D'abord que je laisse mon travail et et puis surtout que je lui crée ainsi une responsabilité supplémentaire. Car il fallait qu'il veille sur lui et qu'il le surveille.

Février 1955

Je suis resté une semaine à la maison et je suis reparti au travail, sans trop m'éloigner. Je me suis arrêté à maison carrée pour y travailler quelques semaines. On y avait l'avantage de l'information, les journaux étaient disponibles. On suivait les évènements.

Près du kiosque, un lecteur lisait les informations au public à haute voix. Il racontait ce qui s'était passé depuis le 1er novembre dernier. « Une embuscade était tendue au car de Mhend n-Larbi, le goumier avait pris la fuite, et un civil est tué par erreur ».

J'ai quitté ce poste vers le début Mars. Je projetais déjà d'émigrer en France. Mon père voulait que je gagne de l'argent de façon plus régulière et plus sûre. Nous achetions des terres souvent avec des dettes. J'étais occupé à établir les papiers de voyage. A mon retour d'el Harrach, la guerre de libération avait commencé discrètement. Le car d'Ali Omar était renversé par les maquisards, sur à son retour près d'Azeffoun. Ils ont égorgé son fils.

Mhend ou-Slimane était conducteur du car, que les maquisards ont brulé. Il s'est sauvé en laissant son manteau cramer à l'intérieur. Il était déjà militant très engagé.

Sadia - 8 mars 1955

Zi-Mohand Idir était un ami de Sedik. Il est venu me rendre visite. Ils ne l'ont pas fait rentrer. Ils étaient trop conservateurs. La mère de Tahar est intervenue et l'a fait rentrer sous le porche. Il y avait comme un lit, avec deux places pour s'asseoir. Les gens y dorment parfois. Je suis sortie le voir. Nous sommes restés assis, à discuter pendant un bon moment. Le lendemain il est parti pour Alger prendre prendre le vol.

9 Mars 1955

J'ai passé la nuit chez Sedik Moh Belhaj à Alger. C'est lui qui m'a réservé le vol. Il avait d'abord essayé de me dissuader ;

- Ne pars pas, la guerre va se déclencher et tu ne vas plus revoir ton pays !

Si j'avais le choix entre la France et le maquis, j'irais au maquis, mais il n'y avait pas d'armes. J'aurais choisir le bateau, car l'avion était cher, et je n'avais plus d'argent après le paiement du voyage. Sedik m'accompagne à l'aéroport. Il poursuivait encore ses études.

Paris 10 mars 1955

A Paris, Les gens du village accueillaient généreusement les nouveaux arrivants de la région. Car ils savaient qu'ils trouveraient un travail assez vite, et si besoin, ils rembourseraient. M'hend ou-Mokrane m'a assuré le logis le premier soir. Mohand n-Moh Ourouji m'a reçu chez lui pour déjeuner. Et n'importe qui d'autre du village que je rencontrais, pouvait m'offrir 500 francs.

Je me suis vite installé à la Bastille, au 52 rue Saint Sabin. Si-Moh ou-Mhidine avait un bistrot à la rue Charonton. J'allais rendre visite à mon oncle Moh Cherif, durant les premiers temps. Il habitait au 135, rue Lacroix Livre, au 15ème arrondissement. Il me racontait qu'Amirouche y habitait aussi quelques semaines plus tôt. Il avait été agressé par des messalistes. Il y a laissé deux de ses dents.

Quand khali me disait qu'Amirouche était là, je ne le croyais pas vraiment. Mais j'ai fini par avoir la confirmation de ses dires dans la presse, quelques semaines plus tard. Ils ont raconté son histoire dans un journal.

Il avait rencontré Didouche Mourad et Boudiaf plutôt. Ils se sont expliqués « on va rester en contact pour que chacun soit prêts le moment venu ». Ensuite en rentrant il allait rejoindre les Oulémas, mais il a fini par prendre le maquis, quelques semaines après le déclenchement de la lutte armée.

Sadia- Début mai 1955

Les habitudes de Tahar évoluent. Il ne ramène personne à la maison, mais il sort souvent la nuit. Pour la préparation de la guerre, et pour s'assurer sa place parmi ses camarades. C'est également un buveur entre autres.

Environs deux mois après le départ de Zi Mohand ou-Idir, je suis venu féliciter pour la naissance de Mohand n-Zi Ahmed. Je suis restée un mois à la maison de mes parents, j'ai passé l'aïd tameziant.

Début juin 1955

Quelques jours après l'aïd, Tahar est venu me chercher. Mon père refuse,

- Retourne chez-toi. Elle ne viendra pas avec toi. Pourquoi tu n'es pas venu la chercher le jour de l'Aïd ?

Tahar intimidé, est reparti sans moi. Trois jours plus tard, il est revenu. Il s'est excusé auprès de mon père, il l'a supplié de me laisser repartir. Alors mon père a accepté que je reparte à la maison avec lui.

Moins de deux mois plus tard, les blessés ont commencé à arriver à la maison. Moh El-Haj accompagnait les maquisards quand ils venaient chez-nous. Les soldats sont arrivés à la mosquée du village, et ils ne savaient rien sur les activités de Tahar.

Fatima

Moh El-Haj fréquente également des maisons d'autres militants de la première heure. Il prévient Wardia,

- Si jamais Mhend ou-Mokrane vient chez nous, ne te cache pas. Je lui ai rendu visite, et j'ai été bien accueilli. Sa femme nous a servi le diner, et elle est restée un moment avec nous.

Sadia- Lundi 1er Aout 1955

Le jour de l'Aïd Tamokrant, on n'a pas égorgé de mouton. Les moh belhaj étaient comme ça. Ma mère est venue me rendre visite, elle m'a ramené de la viande cuite. Elle était dans le doute, elle ne savait pas comment s'y prendre. Elle est reçue courtoisement. Quand Tahar l'a vue, il est sorti pour qu'elle ne voie pas les blessés.

Au cours de la discussion, elle voyait bien que je n'étais pas heureuse. Elle me demande la raison de mon malaise, mais je ne réponds pas sur le moment. Elle demande à l'épouse de Moh Belhaj, elle ne reçoit pas davantage d'explication. La vieille, perplexe, ne sachant pas quoi lui répondre, se suffit de préciser ;

- Elle n'a rien de particulier.

Tahar est revenu et ma mère était toujours là, alors il a commencé à sortir et rentrer, et ses yeux devenaient rouges. Je savais qu'il était très en colère sans le dire à haute voix. J'ai compris qu'il fallait agir. Ma mère m'interroge ;

- Qu'est ce qu'il a Tahar ?
- Je pense que tu dois rentrer maintenant.

Ma mère, sortie de chez-moi, marchait dans un pas ralenti. A peine arrivée à tavekart, elle s'est effondrée, évanouie. Elle a été raccompagnée chez-elle par des témoins. Puis elle a envoyé na-Tassadit Meziane à sa place. On a discuté un petit moment.

- Est-ce que tu as des problèmes ici ?
- Non, rien, il faut seulement dire à mon père de venir me chercher.

3 aout 1955

Ahmed et son père arrivent à leur tour et demandent à récupérer Sadia. Tahar leur oppose un refus net et se compense, sans davantage expliquer.

- C'est moi qui la ramènerai quand je jugerai cela judicieux, mais ça ne sera pas aujourd'hui.

Abderrahmane rentre à la maison avec son fils, sans sa fille. Plusieurs jours plus tard, en automne 1955, Tahar s'approche de son épouse, lui tient la main et lui confie ;

- En ce moment, je suis sous pression, je suis entre deux broyeurs. Si l'un des deux s'avance vers moi, je suis écrasé.
- Qu'est ce que je peux faire alors ?
- Tu me donnes ta parole que tu ne vas jamais rien révéler de ce que tu as vu ici. Si ton ainé Mohand ou-Abderrahmane, n'était pas parti pour la France, ce serait le premier que j'appellerais pour qu'on partage les responsabilités.
- Je t'en donne le serment.
- Je te donne ma parole à mon tour de ne jamais épouser une autre femme après toi tant que tu seras de ce monde.
- Alors je vais préparer mes affaires,
- Mains vides !
- Comment ça ?
- Tu vas rentrer chez tes parents comme ça. N'envoie personne chercher ton box ou autre effet personnel. Et surtout ne

reviens pas tant que je ne t'aurai
envoyé personne pour te chercher.

Sadia rentre à la maison de ses parents
sans rien d'autres hormis les vêtements
qu'elle portait sur elle. Titem demande à sa
fille quelques jours plus tard ;

- On doit envoyer quelqu'un chercher tes
  vêtements.

Surtout pas. Personne ne doit y aller
demander quoi que ce soit. C'était cela notre
accord.

Eté 1955

Zahra arrive pour voir son père à la
nouvelle maison d'Annar, et le surprend en
train de manipuler des armes. Elle sort
furtivement pour l'apprendre à sa mère qui
se trouvait dans la maison adjacente de son
oncle Larbi. Elle revient un très court instant
plus tard, et ne trouve plus trace d'armes.
Surprise, mais elle se retient chercher à en
savoir plus.

Cette maison avait été construite par
Mohand n-M'hend spécialement pour y

cacher des armes. Un abri avait été creusé à l'intérieur. Caché sous le plancher.

Jusque là, Moh el-haj ne parlait pas de la guerre à sa femme, il lui laissait des mots de passe ou recevoir ou remettre un colis à un individu qu'il enverrait. Un jour, Warida a fait un rêve :

- Une jeune femme nue arrive du bas du village, cheminant depuis Tamda hend avoujil, remontant vers Annar. A la main, elle tenait un flambeau. Elle met feu à un arbre et ignore le suivant. Elle recommence en alternant ainsi tout le long de son chemin...

Wardia raconte son rêve à son mari, et lui en fait part à l'un de ses camarades, puis il revient plus tard auprès de sa femme avec une interprétation.

- Cette guerre va avoir lieu. Certains villages vont être enflammés et terriblement touchés et d'autres non. Le pays sera libre un jour, mais nous n'aurons pas vraiment la paix.

Paris- fin d'été 1955

Akli n-hend Wamar Tamazirt est venu en France, à rue saint sabin, pour m'annoncer ;

- Si tu voyais comment ils sont en train de ravager Tamaright !
- C'est quoi en juste ?
- Une route apparemment. Ça traverse long et large. Ils ont tout détruit.

Nous venions d'acheter ce terrain. C'était pour nous une destruction de notre propriété.

Zi-Mohand et moi, envoyions des mandats de Paris pour construire les deux pièces supplémentaires en face de la maison du père. Les maçons étaient Mohand n-Mhend et Rabah Moh ou-Saïdh.

Il lui arrivait de m'envoyer une lettre deux fois dans le mois pour me réclamer de l'argent. Alors j'évitais d'ouvrir le courrier avant d'avoir pris mon repas, sinon je n'ai plus d'appétit. C'était moi qui remplissais le mandat. Des qu'on recevait la paie, moi et Zi-Mohand, on envoyait de l'argent.

A la même période, mon père a acheté un beau cheval, de race supérieure. Tahar a immédiatement dépêché ses adjoints pour réclamer un impôt pour le compte de la résistance. C'était pour lui, inadmissible d'être à la fois capable de construire une maison et d'acheter un cheval.

Fin d'été 1955

Une route qui doit traverser Tamaright est en projet. Le chantier de commencement est basé à tala Tzizwa. La route est datée de l'année dernière, sur une pierre, dans une parcelle qui vient juste d'être achetée par Abderrahmane.

Simoh n-Mhend g-Yahia, un enfant curieux de ce qui se passe à l'est du village, s'empresse pour aller contempler le spectacle comme nombre d'enfant de son âge. Aussi interpellés par les manœuvres des soldats français que leur cri « couchez-vous » à chaque fois qu'ils dynamitent le rocher Ouzaya.

Les maquisards attaquent le campement, en guise de première action de la guerre dans la région. Quand les coups de feu retentissent, les femmes d'Igherviene répliquent avec des youyous. Les français ne semblent pas lier ces actes à la guerre, mais considèrent ces sabotages comme des actes de simples malfaiteurs.

Fin aout 1955

A mon retour à la maison, suite à la séparation à l'amiable, ils avaient déjà coupé 12 Oliviers à Tamaright, une pelleteuse était en train de tracer la route.

Sadia Avril 1956

Quelques mois après mon retour à la maison, les villageois ont commencé à s'inscrire pour avoir des armes. Je rends visite à Wardia Moh-Amechtoh et je croise Moh el-Haj. Dans le cours de la conversation, déjà assez familière entre nous, je l'interroge ;

- Pour quoi chez Tahar Moh-Belhaj, les maquisards arrivent très nombreux, et ici chez-toi il y a personne ?

- Tahar croit que l'Algérie est comme un portefeuille qu'il va mettre dans sa poche. Il croit qu'il va libérer l'Algérie tout seul.

Au printemps Tahar reçoit 14 fusils mousquetons, à distribuer, et une mitraillette pour lui-même.

Avril 1956

Il avait gagné son statut de leader au début par son argent, il était aisé, il pouvait se libérer pour l'activisme. Il avait le temps pour se déplacer contrairement aux autres.

Il a obtenu son arsenal car il a osé tuer un civil, et couper la tête d'un innocent pour le montrer aux autorités en guise d'un hors-la-loi. Il avait tiré sur sa propre jambe pour simuler une blessure au combat.

Les victimes ciblées sont soit des messalistes, ou des malades mentaux. Il avait pratiqué la politique de façon folklorique, loin des intellectuels.

Juillet 1955

Moh Belhaj associe ses parcelles de terrain aux autres agriculteurs. La gargote d'Alger est son autre principale ressource. Arezki n-Bakhlich découvre le local dans le tunnel qui descend de la Casbah vers la pêcherie, tout près de la grande mosquée ben Tachefin. Il décrit un endroit sombre et insécurisé.

Début 1956

Des soldats viennent chercher de l'eau dans une fontaine à Tala t-Gana, pour la caserne, régulièrement. En plein jour, ils sont en confiance parmi les civils.

Moh ouali avait combattu en Indochine. Il planifiait déjà depuis plusieurs jours, vers le début de l'année 1956. Il avait demandé à ce qu'on lui affecte une équipe adaptée à sa surcharge pondérale. Zi-Moh el-haj et Kaci Ouzeghda, également en surpoids, ont été d'office intégrés dans sa section.

Mais Moh Ouali n'était pas encore le seul chef. Il avait un supérieur dans cette unité. Ils ont tendu une embuscade au pont Targat près d'Aghribs. Les soldats, dont beaucoup de goumiers, surpris, ont tous été tués.

Suite à ce fait d'armes, Moh ouali a été promu à un grade supérieur à celui de son désormais ancien chef. Ce dernier n'a pas manifesté de désapprobation sur le moment mais se rongeait en silence. Il est venu voir Zi-Ahmed et lui a confié,

- Ce n'est pas nécessaire de rejoindre les rangs de l'ALN, il y a trop de jalousie et des coups bas à l'intérieur des troupes. Si on a besoin de toi, on viendra te chercher, et on te donnera une mission. Dans les rangs, c'est compliqué. Ils ont monté en grade l'un de mes hommes, et ne m'avaient même pas tenu au courant. En peu de temps je me suis vu donner des ordres par Moh Ouali.

Paris- Printemps 1956

J'étais messaliste, j'avais rejoint l'armée de Belounis et j'étais affecté à Melouza pour combattre dans les rangs du MNA, contre l'armée française. Je voulais venir combattre. Quand j'en ai informé Zi-Mohand, il était triste. Il a cherché à me retenir le plus longtemps possible ;

- Attends qu'on ait terminé de payer les dettes on ira ensemble pour rejoindre le maquis.
- Il y'a encore des dettes ?
- Oui, le père a acheté une parcelle de plus à Tamaright, du côté nord.

Finalement, j'envoyais des mandats, mais Zi-Mohand ne me disait rien sur les dettes. Il avait gardé pour lui l'obligation, pour éviter de me mettre la pression. Alors j'hésitais pendant plusieurs jours,...

Il y avait un homme d'Iajmad, Arezki ou-Moh, de la génération de Zi-Mohand. Il connaissait très bien Ouamrane, pourtant il n'a pas demandé à intégrer l'armée de Belounis. Si-Sadi et moi, nous sommes inscrits naïvement pour rejoindre le maquis.

Un ami d'Ath Si-Yahia a été affecté à Msila dans les rangs du MNA. Il a été tué peu de temps après son arrivée au pays par l'ALN.

Si-Ali nath Zelal échangeait des courriers avec des gens, et il ne savait pas qu'ils étaient du FLN. Lui, il s'identifiait comme élément du MNA. Il est venu de France, et rentré chez-lui. Il a coupé des pins pour barricader sa maison. Ils sont arrivés quand-même jusque chez-lui, pour le chercher. Il n y'a plus de ses nouvelles depuis.

Le Beau-père de Saïd Ouchelaoud était également mobilisé à Melouza. Il ne savait pas que le régime avait changé du MNA au FLN. C'était un soldat de Belounis. Il avait pris permission pour rendre visite à sa famille à Ath Ouchen. Il s'est fait attraper par les membres de l'ALN sur son chemin et l'ont condamné à mort. Son frère était maquisard de l'ALN, il a pu intercéder en sa faveur, et lui a évité l'exécution.

Le FLN, nous envoyait des messages ;

- Si vous nous faites confiance, alors rejoignez nous, et remettez vos cotisations à nos trésoriers. Sinon, si vous hésitez encore, sortez tout de même du MNA et envoyez votre argent dans vos familles, ils sauront quoi en faire. Ils connaissent là-bas les maquisards, qui en auront bien besoin.

Mokrane Nat Boada, avait incité Zi-Mohand à quitter le parti de Messali, pour adhérer au front.

Zi-Mohand a écrit à Sedik Moh Belhaj et Mohand Amokrane afin qu'ils m'écrivent un message pour changer de camp. Ils m'ont alors envoyé des courriers, qui disaient en substance ;

- Toi dois quitter l'usine où tu travailles actuellement, ce n'est pas bien payé.
  Va intégrer l'usine où travaille ton ainé, c'est mieux payé.

Une fois que j'étais passé du MNA au FLN, Zi-Mohand a récupéré les deux lettres pour les montrer aux autres militants, afin de les amener à suivre le même cheminement. Ils sont nombreux à avoir rejoint le FLN grâce à lui avec ces lettres.

Ighil- Printemps 1956

Le Commandant Mohamedi Saïd et le capitaine Vriroche, étaient de passage par Ighil, en direction de Mira pour déjeuner, accompagnés de Sedik, Moh Ourezki n'Saïdh Ouali et Belkacem Bouksil. Ce dernier surveillait la route et les alentours. Il ne lui déplaisait pas non plus de manger avec les chefs. Mais Belkacem était bienveillant avec ses camarades, il évitait les conflits, il arrangeait les situations délicates, et empêchait les drames.

Arrivés à Adghagh Amelal, le commandant et le capitaine, se disputent Sedik pour l'avoir comme secrétaire. C'est le plus gradé qui a gain de cause naturellement. Ils se séparent après le déjeuner, et Mohamedi Saïd se dirige vers le PC de la wilaya près de Larbaa, accompagné par Sedik.

Eté 1956

Sedik Moh Belhaj est devenu secrétaire de la wilaya III. Il était très sage et intelligent, pas têtu comme Tahar, il était conciliant. Par-dessus tout il a fait des études. Plus tard,

Vriroche va prendre des nouvelles de Mohamedi Saïd, et son secrétaire. Le colonel lui raconte que sur son chemin vers Larbaa Nath Irathen, plusieurs jours plutôt, il avait subi une attaque des français. Lui il a pu rentrer assez rapidement dans l'abri, pour se protéger, mais Sedik et ses camarades avaient riposté et tenu dans l'accrochage pendant un moment. Sedik a fini par être tué.

Wrida

Sedik était le fils préféré de Moh Belhaj. Il avait fait des études et il était très obéissant pour son père. Tandis qu'avec Tahar, Moh Belhaj avait toujours un lien tendu, bien avant la guerre. Ils se sont engagé tous les deux dans l'ALN, à l'occasion de l'opération Robert Lacoste.

Sedik est mort très tôt, peu de temps avant l'attaque d'Agouni ou-Zidoud. Son père a déclaré un jour qu'il était très affecté par sa mort.

Fin d'été 1956

L'opération Robert Lacoste a duré plusieurs mois. Les inscrits sont en réserve, seuls les initiateurs sont en action. Le mot de passe des chefs est un bouton cousu à l'intérieur du col de la veste, invisible à moins de vouloir le montrer à quelqu'un.

Le jeu est un scénario, mais pas ouvert à tous les hommes armés, afin d'éviter d'éveiller les soupçons et la dénonciation.

Ahmed ou Zayed s'est bien investi mais n'a pas enrôlé d'hommes. Azazga n'a pas eu de liste pour recevoir des armes. Les Tighilt Ferhat ont eu trois armes ; pour Moh Smail, Mhend et pour Mohand a-Mokrane. Mhend se trouve pourtant en France durant toute l'opération de la force-K. Mais son frère est au maquis, et la femme de Moh Smail est cousine de Moh Belhaj.

Moh Amchiche 1956

Moh Amchiche était un ancien du mouvement national, plus âgé qu'arezki boumchiche. Il avait reçu une arme, à l'occasion de Robert Lacoste. Un jour, les maquisards viennent lui annoncer ;

- On récupère ton arme, car tu ne cours pas assez vite.

Ils ont pris son arme. Il est rentré à la maison. Quelques jours plus tard, les villageois le retrouvent mort, pendu chez lui.

Wrida

Tahar était le premier responsable de l'ALN du village Igherbiene. Il connaissait les gens, c'était un homme de réseau. Il connaissait notamment les abris. Il a été chargé de distribuer les armes. Lorsqu'il répartissait les armes, il s'adresse à Mhend ou-Slimane, à propos de Zi Ahmed et Ahmed Moh Amechtoh ;

- Ces deux là, on ne peut pas vraiment leur accorder la confiance. On ne va pas leur donner des armes.

Un soir, Ahmed ou-Abderrahmane était de garde. Un homme approche en face de lui dans le noir, sans se beaucoup de discrétion.

Ahmed le somme de se présenter et donner le mot de passe, mais l'inconnu désobéit.

En le reconnaissant vaguement à la silhouette, il s'abstient de tirer, mais manœuvre son arme pour le dissuader d'avancer. Sans attendre, Moh El-haj arrive en face de lui et lui dérobe son arme.
Après échange, Moh el-Haj justifie sa désobéissance par son problème d'audition. Alors la direction locale refuse d'accorder une arme à Ahmed.

Mais Abderrahmane, n'est pas étranger au refus des chefs locaux à engager son fils dans les rangs de l'ALN. La première année de la révolution, il n y avait pas encore de maquisards dans le village. D'abord parce qu'il n y avait pas d'armes et puis le plan n'était pas arrêté.
Les chefs ne retenaient comme maquisards que ceux qui étaient recherchés et ceux qui avaient des armes, afin de ne pas saturer le maquis inutilement, et pour garder une réserve.

Suite à la récupération des armes de Robert Lacoste, ils ont commencé à tuer des personnages MNA non connus, ou des responsables locaux comme un Amine, sans beaucoup de grade, mais à qui ils reprochaient simplement l'appartenance à l'autre camp. C'étaient plutôt des traitres aux yeux du FLN, mais ils ne touchaient pas les ennemis de la France. Les français commencent à s'en agacer et à se dire « ils ne tuent pas vraiment ceux qu'on veut combattre ».

Les soupçons commençaient à être pesants, alors Krim Belkacem a ordonné de rejoindre le maquis Tamgout.

Aout 1956

Les maquisards se réunissent une dernière nuit dans la maison de Mohand n-Saïdh Ouacif près d'Akounja avant de monter au maquis. Nous sommes en septembre 1956.

Omar Toumi était le responsable de la liaison. Ils ont attaqué un poste de commandement, et dans l'accrochage, il est reconnu par le chef français. Ce dernier l'appelait à cesser les coups de feu, « nous sommes amis ». Comme ils ont refusé d'arrêter les tirs, l'alerte a été lancée. Des avions et des bateaux de guerre ont vite cerné la zone.

Sadia - Septembre 1956

On a entendu puis vu des avions, des hélicoptères et des camions qui commençaient à cerner les forêts aux environs d'Ighil. Il y a eu 12 jours de ratissage à Agouni Zidoud. Plus de garçon à la maison, ceux qui arrivaient à l'adolescence, soit ils sont faits prisonniers, soit ils sont incorporés dans l'ALN provisoirement, soit ils ont fui pour éviter l'arrestation. Le village s'est vidé de ses hommes, alors qu'ils n'avaient pas tous des armes. Durant plusieurs jours, il n'y avait que des femmes et des vieux dans les rues.

Les maquisards ont placé un miroir au maquis, et les soldats ont vu le reflet du soleil depuis la caserne d'Agouni Moussi. Déclamé en quelques vers...

L'attaque degw agouni zidoud, atina yewded l'armée.
Aromi isaâ tiherchi, iwalad sew agouni moussi.
Imjuhad mana delmen, dina i stalin lemri.

Dans la forêt agouni zidoud, il n'y avait pas de pierre pour parer aux bombardements comme dans les autres maquis. C'était trop exposé, il y a eu plus de cent morts parmi les maquisards. La plupart étaient inexpérimentés. Mais pour le village Igherviene il n'y a pas eu de victimes.

La plupart des engagés à agouni Zidoud et des martyrs, étaient des Iflissen. Le village Tawrirt Zwaw est celui qui a donné le plus de maquisards pour cette aventure mortifère.

Mhend ou-Mokrane et Mohand n-Moh Ourouji viennent me raconter ;

- Nos maquisards ont été bombardés du ciel et aussi depuis la mer.

Ils n'ont pas tardé à rentrer au pays pour prendre le maquis.

Automne 1956

A l'opération Robert Lacoste, Krim Belkacem a reçu 300 millions. Il a financé le congrès de la Soummam, et il a pu créer les 6 wilayas grâce à cet argent, parce qu'il fallait que les supposés « goumiers » mangent, et qu'ils aient un salaire. C'était 25 000 Fr par mois qu'ils recevaient. Tout le reste était reversé à la wilaya. Ils ont donné des armes à la wilaya 4 et la wilaya 6.

Un homme d'ath Lhocine était sur le point de former une milice contre-révolutionnaire. Des éléments de L'ALN s'appêtaient à les châtier. L'intervention de Moh el-haj leur a sauvé la vie in-extrémis.

Amar Ou- Saâ

De son vrai nom Amar Taouint, né le 10 mai 1940 à Timizart, il prend le nom de guerre Amr ou-Saa. Alors qu'il n'était qu'un adolescent âgé de 16 ans, il croise un groupe de moudjahidine de passage. Ces derniers décident d'épier l'adolescent, de peur qu'il ne vende la mèche aux Français sur ce qu'il avait vu. Dans un café, il a été approché par le maquisard Mohamed Iguerguite qui était commissaire politique au sein de l'ALN.

Ce dernier voulant sonder ce jeune au sujet de la Révolution, il l'interroge ;

- Que penses-tu des fellagas et des hors-la-loi?
- Je n'aime pas les soldats Français. Si on me donne l'ordre et les moyens, je pourrais tuer un soldat Français à n'importe quel moment.

Le commissaire du FLN a eu la certitude que ce jeune était déterminé et animé par la flamme du nationalisme et de l'indépendance. Au bout de quelques jours il est intégré dans le front. On lui confie d'abord de simples petites tâches de ravitaillement ou on le charge de la sécurité auprès du commissariat politique dans le secteur 3 de la région 3 de la wilaya III.

Debut 1957

Ahcen n-Mhand ou-Slimane est un enfant en bas-âge. Il avait l'habitude de manger de la terre. Un jour, il a mal au ventre. Le docteur de la SAS lui donne un médicament. Les maquisards ont aussitôt confisqué ce remède pour des besoins ultérieurs. Ils étaient vus ce jour-là comme un fardeau pour les gens non armés.

Dans une conversation sur le rôle des civils dans cette guerre, Ahmed s'insurge face à Moh el Haj :
- Vous les maquisards vous profitez de nous ! e*th kelekhmagh akagui.* Vous êtes tranquilles au maquis. C'est de l'exploitation des civils que vous faites. La tache principale des maquisards se résume à se cacher dans la journée,

- Ce maquis, ce n'est que de l'illusion. Te sais, un jour, Krim Belkacem, ce grand chef, sera condamné à mort par ses frères.

A ce moment-là, Moh el-Haj est au fait des conflits à l'intérieur de la direction. Il voulait démystifier le chef et ses privilèges, ainsi que l'image idéale véhiculée sur la révolution.

Février 1957

Un homme venait souvent au bistrot d'ami-Slimane, au 52, rue saint sabin. Je le voyais, mais je ne savais qui il était. Un jour Zi-Mohand, m'a dit « lui c'est Ouacel Ali ». Je savais que c'était le nom de l'homme qui avait tué Oumeri en 47. Il était là parmi les habitants de sa région, en confiance. La plupart étaient de Draa el-Mizan.

Ami-Slimane était aimé de tous. Mais sa gestion n'était tellement pas nette, que lui et sa femme sont devenus clochards après avoir quitté la gérance de l'hôtel. Elle allait hériter de la fortune de ses parents, finalement elle est morte avant eux.

Un soir, Slimane Azem était en train de chanter à la cantine de l'hôtel, et nous étions tous attentif. Ami Slimane arrive et commence à me chanter à l'oreille des chansons d'el-Hesnaoui.

Mhend ou Slimane

Arezki n-bakhlich est admirateur de la technicité de Mhend ou-Slimane. Ce dernier récupère les obus non explosés. Il les perce doucement avec une perceuse manuelle. Ensuite il chauffe l'obus à 80°, avec de la vapeur pour liquider le TNT, puis il vide le TNT dans une bombe artisanale. Il était artificier indépendant, il agissait souvent en cavalier solitaire.

Un maquisard d'ath Rehouna témoigne du talent artistique de Mhend ou-Slimane et Mokrane Bouksil. Ils jouaient très bien de la guitare.

17 Mars 1957

Mohand n-Mhend était rentré avec Mhend ou-mokrane et un autre compagnon de Voukharouva, ils avaient 6 jours de permissions. Ils avaient pour mission de ramener deux éléments de Tawint. Ma mère m'a appelé ;

- Viens, Zizim Mohand est rentré.

Il faisait déjà noir, Moh Namar ou-yahia surveillait à takharouvt bwenar. Mohand dormait dans la chambre. Un moment plus tard, il y avait ratissage. Moh Namar s'est empressé de réveiller Zi-Mohand ;

- Mohand, ouvre il y a ratissage.

Zi-Mohand est allé à la maison de refuge, il est revenu, les maquisards étaient déjà partis,

- Je ne vais pas y aller seul. Réveille Ahmed, il pourra m'accompagner.

Ahmed s'est levé. Ils sont partis tous les deux. En arrivant à Agoudal, un avion a tiré sur eux, ils sont sauvés de justesse. Rentrés sous une haute broussaille, avec un vide en dessous. Ils sont parvenus à ichekaven. Il y a eu 4 jours de bombardement.

Dahvia - 22 mars 1957

Ils sont revenus par Taboudoucht, puis ils sont passés par Mira, avant de rentrer au village au bout de 5 jours depuis leur départ. Zi-Mohand est informé que son camarade de

Boukharouba était déjà arrêté. Ce dernier, repéré par la caserne d'izarazen, il a fini par être blessé et arrêté. Alors Zi-Mohand a prévenu ses camarades du village, Mohand n'Moh Ou Saidh, et Mhend ou-Mokrane ;

- Mon compagnon de Boukharouba a été arrêté, ça se trouve il nous a vendu. Je dois repartir vite.

Alors Mohand se dépêche pour prévenir son chef Mohamedi Saïd du risque de dénonciation sur la réunion qui doit se tenir le lendemain.

23 mars

Le même jour, dans la région d'Igufaf, Krim Belkacem, Benkheda et Mohamedi Saïd sont de passage pour aller en Tunisie, et entre autre pour discourir aux maquisards dans le but de remonter le moral après l'arrêstation des chefs extérieurs, en Octobre dernier. Krim faisait un discours aux maquisards avant d'être interrompu par un hélicoptère banane qui survolait la zone. Il demande à Mohamedi Saïd,

- Cela fait combien de temps que tu as fixé ce rendez-vous ?
- Un peu plus de 5 jours.
- Nous sommes alors vendus. Tu fais la prière à Dieu mais tu n'appliques pas ce qu'il dit. Tu devrais être plus attentif à ce qui se passe autour de toi. donne la consigne à tous d'avaler rapidement la soupe avant de partir.

Les trois chefs et quelques compagnons d'élite se dépêchent de quitter le secteur d'Igoufaf et la réunion est annulée. Des maquisards arrivent le lendemain, ignorant la nouvelle donne, à l'image de Mohand n-Mhend. Le 23 Mars, à tassift khlili, le reste du bataillon subit les bombardements menés par sept avions. Kaci Ihedaden est également parmi les martyrs. Vriroche échange sa veste avec un mort. Ainsi le chef est compté parmi les victimes. Cité dans la presse, sa famille ne devrait plus subir de représailles après son départ supposé hâtif vers la Tunisie.

23 mars 1957

Sous les bombardements, Moh El-Haj et deux de ses camarades, étaient sous une pierre avec une cavité, tombée sur eux, épargnés. Ils sont restés sous la pierre plusieurs jours affamés. Ils entendaient les soldats français qui faisaient pause et mangeaient dessus. Un berger est passé par là plus d'une semaine après, les a entendus. Il leur a fallu plus de huit jours pour retrouver la force de marcher.

Moh El-Haj apprend la nouvelle de son cousin, et prend son courage à deux mains, pour assumer la lourde tâche de la mauvaise nouvelle. Il achète une bouteille de parfum Ploum Ploum, et un mouchoir, et rend visite à Tadourt. Il s'avance vers elle, avec un visage pâle, lui tend la bouteille en vert foncé, et lui annonce dans une voix enraillée ;

- Mohand a acheté ça pour toi.
- Je sais qu'il est mort, dis moi au moins la vérité !
- Non, c'est lui qui t'a envoyé ça.

- Tu fais ça en sa mémoire, ...*aken kan
  ayitessedhoud*

Moh-El Haj n'insiste pas plus longtemps pour la convaincre, et Yema tamghart ne persiste pas davantage pour obtenir l'indicible aveu sur son petit fils. Les deux se séparent, et n'avaient pas de peine à trouver prétexte.

Dahvia

Yema Tamghart est venue nous voir et nous a annoncé ;

- Mohand est mort
- Non, il n'est pas mort, on lui a tous répondu
- Il est mort, j'ai reconnu le visage de Moh el-Haj. Sa mine était complètement défaite.

Il y avait un genre de ravin. Tous les martyrs, plusieurs dizaines, ont été jetés à l'intérieur et enterrés. Sa femme, Wardia ou-idir était enceinte depuis six mois.

Fin mars 1957

Mhend ou-Slimane était en train de manipuler le détonateur d'une grenade, à Ichekaven. Il entend au loin « le fils de Si Mhend est tué dans le bombardement ».

Sous le choc, il lâche la bride et le stylo d'aluminium qui se trouvait dans la grenade explose. Il y avait environs 20 gramme de TNT. Blessé à son visage et deux de ses doigts sont coupés, le majeur et l'annulaire.

Elie Mourey était appelé à la guerre il y a deux ans. Après avoir transité entre Oran, Tizi-Ouzou et Fort-National, il devient maître-chien au 1er peloton cynophile de la 4e BCA. Médaillé de valeurs et discipline, et de la valeur militaire croix avec palme.

En ce samedi 23 mars 1957, il lance son chien dans un fourré où s'étaient retranchés 5 rebelles, dans un ravin aux environs d'Ait Hallal, près d'Ath Douala, en Kabylie. Ces derniers lui tirent dessus, et l'atteignent mortellement, presqu'à bout portant. Son père et son frère attendront longtemps sans avoir de ses nouvelles.

Printemps 1957

Moh Belkas reçoit une convocation pour le service militaire. Il rend visite à son oncle Moh el-haj, et ce dernier lui propose aussitôt de rejoindre les rangs de la résistance. Mais le chef lui pose une condition ; de tendre une embuscade et de la réussir. Moh-Belkas se rend à la caserne comme prévu pour remplir son devoir et passe les premiers soirs à planifier.

Avant la fin de l'entrainement et le changement de caserne, il s'évade en emportant des armes avec lui. Il tend une embuscade et tue un soldat français. Au début il était affecté dans des maquis moins dangereux. Un jour il est blessé grièvement dans un accrochage, plusieurs balles avaient criblé son dos, il est arrêté. Envoyé d'abord à l'hôpital, avant de finir dans la prison de Tizi Ouzou, où il est jugé et condamné à mort dans un procès bâclé.

La veille de son exécution, il s'évade de la prison, en marchant sur des barbelais. Des blessures lui couvraient le corps, sous des vêtements déchirés. Il marche toute la nuit. Au petit matin, il commence à demander aux passants de l'emmener auprès des résistants. Avec l'absence de papier, les gens ne prennent pas le risque facilement.

Il persévère jusqu'à ce qu'il trouve un premier passeur, qui le refile à une succession de passeurs. Après plusieurs escales il arrive à la forêt de Mizrana. Il était interrogé pendant un moment par un maquisard à l'entrée du maquis, quand il aperçoit au loin un homme de sa connaissance. Il se lance d'emblée vers lui.

- Lui c'est mon oncle.
- Ah mon neveu. Qu'est ce que tu deviens ?

Moh el-haj approche pour recevoir l'éternel évadé. Malha, en veut toujours depuis à Moh el-haj d'avoir engagé son fils sans demander son avis.

Eté 1957

Moh ourezki était chef de secteur dans la région d'Aghribs. Il devait être adjudant ou aspirant, ou pouvait être même sous lieutenant. Il avait un bon niveau d'instruction et il était très ancien militant. Il a été témoin de la sévérité du colonel.

En réunion à Tamassit, lui et tous les soldats étaient tous assis, et le colonel Amirouche s'accoudait sur Taroust. Un homme arrive d'Alger avec une boite de gaufres. Il la distribue aux soldats. Et le colonel demande ;

- Est-ce que ceux de la sentinelle ont eu leur part.
- Non, je n'ai que cette boite.
- Alors remettez vos gaufres dans la boite et va les distribuer aux gardiens restés dans la froid dehors.

Le PC de la wilaya était à cette époque au village Ibsekrien, dans la maison même du capitaine si-Abdallah Moghni. Amirouche est resté chez-lui plusieurs jours, au pied du mont Tamgout.

Automne 1957

Arezki n-Bakhlich, Belkacem ouacif, Amar n-boukejir, Moh oufellah, sont pratiquement tous de la même génération. En 1957, Arezki est reformé de la visite médicale de l'armée. Belkacem est enrôlé.

En fin 1957, Moh oufellah, qui était seulement témoin de l'attaque d'Agouni Zidoud, se sait attendu pour bientôt au service militaire. Saïd n-Saïdh lui donne son fusil de chasse pour le sauver de l'armée ;

- Tu trouveras ce fusil caché sous un rocher, à Lkoucha, au dessus d'agouni tkaâets.

Moh oufellah, rejoint le maquis et devient Mohand Igherviene. Belkacem Ouacif déserte et rejoint lui aussi la résistance.

Achour fait souvent commettre des exactions par des éléments de l'ALN, et pousse les gens dans les bras des français. Ali n'Saïd ou-Laarbi est fils d'un frère de Vriroche. C'est un neveu comme Achour. Les deux sont fort intimidés par la présence de Tahar. Ils se retrouvent enfin dans les rangs de l'ALN, et les neveux de Vriroche réussissent en peu de temps à monter en grade au dessus de Tahar. Il commence à subir alors la pression et sans doute des gestes d'humiliation.

La plupart de ceux qui ont eu des armes à l'occasion de Robert Lacoste, ont demandé affectation dans la région de Larbaâ Nath Irathen, où ils affrontaient l'ennemi à découvert. Ils voulaient tous éviter d'être sous le commandement d'Achour. A l'image de Kaci Ihedaden, Mohand-n-Mhend et Moh-Saïd n-Moh ou-Lhocine qui devient le premier martyr du village de cette guerre.

Tahar ne faisait pas exception. Un neveu de Vriroche et un autre maquisard du même village, avaient l'habitude de faire un crochet à Imsounène de façon informelle, pour rendre visite à deux femmes, libres de mouvement. Tahar a vent de cette entorse à la tradition et les deux concernés connaissaient les points de vue de Tahar sur l'appartenance d'une femme à la filiation almoravide. Mais ce dernier n'ignore pas non plus le risque à prendre s'il devait affronter le neveu du colonel dans son fief. Tahar commence à subir un harcèlement moral et finit par être rétrogradé.

Sadia Automne 1957

Tahar a fait un rapport pour avoir un procès équitable auprès de sa hiérarchie, et demande à changer de secteur. Il se sentait traité injustement dans la région. Il a alors donné le rapport à Larvi ou-Azour, fils de la sœur de Vriroche. Larvi était réputé être un homme honnête, irréprochable. Mais il a déchiré le rapport au lieu de le transmettre.

Tahar a fini par apprendre la suite donnée à sa requête, il est tombé dans une déception et une soif de revanche que rien ne pouvait étancher.

Wrida fin 1957

Tahar a fini par s'éloigner de ses camarades. Il dormait seul dans des caroubiers, ne faisant confiance à personne. Au début de l'année 1958, pendant un accrochage, suite à une embuscade tendue par les maquisards, près d'Ighil Mehni, il a déposé son fusil, levé les bras et s'est dirigé vers les unités françaises. A son retour dans la région, Moh el-haj, témoignait sur lui.

- Il était seul, il devenait paranoïaque. Il avait commencé à déprimer. Devenait de plus en plus superstitieux. Il était malade. Des qu'il voyait deux maquisards à part en train de discuter, il disait « ils parlent de moi. Ils prévoient surement de me tuer ». J'avais peur pour lui, il était souvent en larmes.

A Igehrbiene, les villageois apprennent que Tahar vient de changer de camp. Ils sont surpris mais pas encore assez crédules pour l'admettre. Les français sont très contents de sa reddition, mais à cause du syndrome de l'oiseau bleu, ils ont jeté des tracts ; « Amghrous Tahar s'est rendu ». Sa reddition est désormais irréversible.

Sous la pression d'Achour n-Boujemaa ou-Yidir, d'autres maquisards aussi ont rejoint l'armée française.

Wrida

Tahar devenu Harki, il a entrepris de causer un tas de dégâts, pour assouvir sa soif de revanche et surtout être accepté, mais ce n'était pas suffisant pour eux. C'était un gradé. Il s'est présenté à la caserne, et les français avaient besoin d'être rassurés sur sa stabilité sociale, alors ils ont réclamé davantage ;

- Il te faut une femme, sinon tu ne seras pas fiable très longtemps.
- J'ai une femme, je vais aller la chercher.

Dahvia - Décembre 1957

Hamid est né un jour de neige, en hivers, à la période de la cueillette des olives, en haut des arbres, on était bien avancés dans la cueillette. J'avais 19 ans.

15 jours plus tard, Ali n'Said wali revenait de son travail de l'ouest du pays, de Mascara. Il a du faire escale à Azazga pour obtenir un laissez-passer. Il a rencontré Tahar Moh Belhaj, et a pris connaissances des ses

projets. Il est venu le soir même prévenir Vava Abderrahmane.

Le lendemain soir des maquisards sont venus lui suggérer d'éloigner Sadia. C'est comme ça qu'on a su que Tahar s'était rendu, on ne le savait pas jusque là. Ahmed rappelle à son père ;

- Je t'avais dit qu'il ne fallait pas marier Sadia à ces gens là, on aurait bien évité cette galère.

Sadia fin janvier 1958

Nous ne nous attendions pas du tout à ce qu'il vienne me chercher. Mon père avait l'idée de m'envoyer dans un abri, dans le village en cas de perquisition. Mais Moh El-haj est venu voir mon père assez vite et lui a expliqué

- Je n'ai aucune confiance envers les abris du village. Ils ont tous été vendus. Il faut l'éloigner de la région.

Ils ne m'en ont pas parlé tout de suite, et n'ont pas vraiment cherché à me sensibiliser sur le sujet. Je ne savais pas que Tahar allait venir perquisitionner. Un soir, mes parents me demandent;

- Prépare maintenant tes bagages, on va t'emmener chez Nanam Hlima.

J'ai été choquée. C'était la veille du départ pour Houbelli. Nous nous sommes réveillés tôt le matin, et nous avons pris la direction de Houbelli. Nous avons marché un bon moment. Quand nous sommes arrivés à Ighzer n-Berquech, près d'ichekaven, ma mère lance à mon père ;

- Mais quand on arrivera à houbelli, ne suggère pas qu'on reste une autre nuit de plus, car on a des olives à ramasser.
- Que Dieu t'entende, je voudrais pouvoir penser comme toi. Mais moi je profiterai de voir ma fille.
- Quel beau langage ! je ne t'avais jamais entendu parler comme ça, qu'est ce que cela nous cache encore ?

Je savais un peu ce qui se tramait et depuis mon arrivée à Houbelli je n'arrêtais pas de pleurer. J'étais toute retournée. Je n'avais plus sommeil. C'était le début de l'exil.

Mohand Igherviene - Début 1958

J'étais aux côtés et sous la responsabilité de l'aspirant Mohand Arezki Ouakouak, dit aussi Moh Arezki Amechtoh, d'Adrar At Kodia de la commune d'Aghribs, placé par Si Amirouche, vers le début de janvier 1958, comme chef de la 3e compagnie relevant du bataillon de choc de la Wilaya III, en remplacement de Si Moh Ouali Slimani, dit Chiri-bébé, de Timerzuga, sous la responsabilité duquel nous étions auparavant.

Si Amirouche nous envoie en Zone II à Bejaïa, où l'on a formé le bataillon de choc composé de la première compagnie, qui a pour chef Oumira, la 2ème compagnie sous la conduite de Mohand Ou-Rabah, et la 3e avait comme responsable Moh Arezki Amechtoh.

C'est ainsi que notre compagnie est envoyée vers la zone de Melouza, à Msila. La première compagnie d'Oumira prend la zone d'Ighil Ali et Seddouk, tandis que celle de

Mohand Ou-Rabah s'occupe de la zone du Djurdjura, près de Haïzer, et c'est là que l'histoire du camp d'El Horane est divulguée, chez les responsables d'abord.

Le camp d'El Horane c'est le 2ème escadron du 8e régiment des spahis, sous le commandement du lieutenant Olivier Dubos, fut bien loti ; il bénéficiait d'une infrastructure d'installation confortable, en occurrence, des réfectoires, des dortoirs et de toute une suite de commodités nécessaires. Il était doté d'une robuste logistique et d'un armement lourd avec des équipements adaptés au terrain aride du sud.

A l'origine, c'était Rabah Renaï, un maquisard de Bouzeguene, qui connaissait un appelé algérien, un sergent chef dans l'armée française et qui s'appelait Mohamed Zernouh, auquel nous donnions, plus tard, le nom de Si Mohamed El Boussaadi. Zernouh, originaire de Djelfa, travaillait avec les maquisards, alors qu'il était encore à El Bordj comme appelé dans l'armée française.

Après des soupçons sur lui de la part de ses supérieurs, ces derniers le mutèrent au camp d'El Hodna. Rabah Renaï, ayant appris cette affectation, reprend contact avec lui par le biais d'une liaison. Une femme du village Ouled Sidi Amar, dont le chef de l'organisation s'appelait Mayouf.

Ladite femme, revoit Zernouh qui lui remit un papier sur lequel était dessiné le camp militaire d'El Hodna et qu'elle a ramené jusqu'à Ouled Sidi Amar, village se trouvant sous la couverture de notre compagnie. A la veille de l'opération, Moh Arezki Amechtoh informa le bataillon en disant que le frère Zernouh nous invite à prendre tout le camp.

Sitôt le plan ficelé, on nous a amené l'adjudant du secteur qui s'appelait Saïd l'Hotchkiss, du village El Yachir, à El Bordj, pour nous accompagner. C'était un connaisseur de la région.

Le 4 février 1958

Les 33 soldats de l'ALN sortent d'un refuge pour se diriger, avec beaucoup de précautions, vers le campement militaire d'Horane, à 30 km au sud de M'sila. Le rendez-vous est pris, et Si-Mohamed Zernouh prévient dans sa lettre les résistants quant à la précaution à prendre en se présentant au camp à 17h45 exactement. Si cet horaire est dépassé, pas question de venir, ordonnait-il.

Ils savent qu'en ce début de soirée, les militaires devaient être en train de manger. Il ne restait donc que les hommes qui montaient la garde. Mohamed Zernouh a montré un zèle inhabituel à monter dans une de ces guérites. Comme convenu, le sergent-chef presse le soldat de garde d'aller dîner. L'homme ne se doutait de rien. Il laisse l'Algérien le remplacer. Zernouh est à présent seul. Il peut allumer la lampe électrique manuelle, le signe qui devait permettre aux résistants d'entamer l'opération.

Après avoir traversé un oued à Sidi Amar, nous nous sommes retrouvés face au camp militaire, séparés seulement d'un champ de blé verdoyant. Il était 17h30. L'attente de l'horaire indiqué terminée, nous sommes précédés par Saïd l'Hotchkiss, après le signal de phares d'un camion à l'intérieur du camp, tel que prévu comme mot de passe, par Zernouh.

Nous traversons le champ de blé en entrant. Si Mohamed Zernouh, avec son complice à la guérite, donnent des ordres de placement de chacun de nous, pendant que les soldats français étaient dans le réfectoire en train de dîner. Moh Arezki Amechtoh avait comme adjoint l'adjudant de compagnie,

Amar Mameur Aït Lounis d'Aghribs. Il y avait un sergent qui s'appelait Moh l'Indochine, de son vrai nom Mohamed Fahem, de Tarihant.

Il est désigné pour braquer les soldats. Ce dernier braque et ordonne à l'endroit des militaires : «Les mains en l'air, vous êtes encerclés !» Le lieutenant Dubos rétorque, en ordonnant à son tour : «Laisse-nous tranquille ! Va prendre ta garde, Mohamed !», croyant que c'était Zernouh qui plaisantait. Ce dernier invite le braqueur à reculer et à tirer en l'air. Un soldat sort du réfectoire, une assiette à la main, regarde la sentinelle et lui dit : «Qu'est-ce qui se passe ?» – «Boff ! C'est un sanglier qui passe devant le portail», répond la sentinelle. Ledit soldat retourne au réfectoire et Moh l'Indochine lui tire dessus et entre au réfectoire en disant : «Cette fois-ci c'est nous, les rebelles ! Les mains en l'air et que personne ne bouge !

Ainsi, nous sommes entrés avec des cordes et nous les avons ligotés. 25 militaires sont désormais faits prisonniers, parmi eux figuraient 4 ou 5 Algériens. Nous les avions dirigés dehors, puis, soudain, un des soldats à l'intérieur tire au pistolet et atteint mortellement au dos un de nos camarades, un certain Ali des Issers. Il nous avait rejoints il y avait deux mois environs, après avoir déserté l'armée française à Yakouren en ramenant avec lui une MAT 49. Sept soldats s'enfuient dans les sous-sols. Cinq seront blessés et mourront plus tard.

Nous sommes sortis dehors en guettant tout pendant que d'autres maquisard sortaient des armes et d'autres encore arrosaient le camp avec de l'essence. Sitôt l'opération terminée, les munitions, les armes, les pièces lourdes, ont été chargées sur des mulets au nombre de 63. Les bêtes ont été conduites par leurs propriétaires originaires d'Ouled Sidi Amar, Hammam Delaâ, et Ouled Bouhedid.... Du fait de l'isolement du campement, nous avons pris notre temps, de 19h à 22h30.

Ensuite, Zernouh sort un char et le retourne, canon pointé vers le camp et tire un obus qui fait écrouler le premier étage et embraser tout le site arrosé d'essence. Nous quittons les lieux en marchant toute la nuit pour arriver à Hammam El Biban. Là, nous grimpons la montagne, pour décharger les armes récupérées, dont des contre avions et des contre chars. Avant la levée du jour, un hélico arrive. Il fait un cercle par un projecteur sur la zone et repart.

5 février 1958

Le jour levé, nous voyons des soldats français qui déclenchent leur opération de recherche à partir de Mansoura vers le côté situé en face du nôtre, soit vers Msila. En revanche, côté Mansourah, vers nous, aux Bibans, rien ! Nous y sommes restés jusqu'à 18h passées. Puis nous rechargeons les mulets, avant de nous mettre en route pour Haïzer, le Djurdjura, en traversant Assif Abbas ! Là, nous voyons au loin des soldats arriver sur la route nationale de Bejaïa. Nous y sommes restés encore jusqu'en fin d'après-midi, puis c'est la route vers Ichelladen.

6 février 1958

Le jour était levé. L'opération de l'armée française s'est limitée à l'oued, ne croyant pas que nous l'avions déjà traversé. Nous y sommes restés encore jusqu'à la tombée de la nuit pour reprendre la marche.

La cargaison est conduite, dans une marche qui durera trois jours, jusqu'à

Akfadou, au Quartier général de la Wilaya III. Nous-y avions déposé les armes et pris les munitions qu'il nous fallait pour chacun.

Le colonel Amirouche, fier du travail accompli par ses hommes, distribue lui-même les armes. Il demande à "bien traiter" les prisonniers. Puis, après un repos nécessaire, l'on nous ordonne à ce que notre compagnie reparte à Melouza, Hammam Dhalaa et Ouled Sidi Amar.

Slimane- 7 Mars 1958

J'étais à Ikhervan, on faisait le pâturage. On se cachait dans les grottes, une pluie très douce commençait à tomber. Tahar arrive pour perquisitionner. Il y a eu panique générale et des cris partout. La sœur de Tahar et son frère Belkacem sont arrivés, m'ont trouvé, je les ai accompagnés jusqu'à houbelli. La peur les avait épuisés. Ils ne connaissaient pas le chemin, moi j'avais grandi un peu dans la région de houbelli, chez mes grands parents maternels.

Début mars 1958

Sadia est à Houbelli depuis plus d'un mois. En ce ... Mars 1958, à 4 jours du 1er ramadan le village Igherbiene est encerclé. Belkacem Bouksil assure que jamais les soldats français n'avaient encore pénétré dans le village avant le ralliement de Tahar Mon Belhaj. Titem se lance à travers Tizi tgawawt à marche forcée, accompagnée de Tassadit n-Saïd, en direction du nord.

Dahvia - 7 Mars 1958

J'étais réfugiée chez feta Lwenes. Dahbia Nali, était accueillie par la famille de cheikh Arezki. Tahar passe près de la maison, accompagné de soldats français et la remarque au milieu d'un groupe de femmes rassemblées devant l'entrée.

- Qu'est ce que tu fais là, toi ? tu es la femme de Mohand ou Abderrahmane !
- Non fiston, *ami sefd i wudmik*, ce n'est pas elle, c'est sa sœur Hasni n'Ali. C'est l'épouse de mon fils Ahmed. Tu as oublié ? elles se ressemblent, tu le sais ! Lui rétorqua Tassadit Namar.

Tahar semblait alors comme pris d'une torpeur. Il se ressaisit et poursuit son chemin, sans davantage d'interrogatoire. Hesni n'ali s'est jetée du 1er étage, tombée dans un buisson de ronce pour sauver Dahvia.

La vérité n'était pas loin. Hasni n'Ali et Dahbia n'Ali sont sœurs en effet. Hasni était mariée à Hemd n-Cheikh, contre la volonté de ce denier. Il a alors quitté pour s'installer en France. Tahar arrive avec un certain Bouzid, un autre goumier d'iflissen, et des soldats, pour chercher Sadia. Vava Abderrahmane nous avait prévenues ;

- allez vous réfugier, moi, je ne vais pas fuir, c'est ma responsabilité, je vais l'assumer.

Il attendait dans le jardin entre sa maison et celle de Zi-Amar. Il taillait un poirier quand Tahar est arrivé ;

- Où est ta fille ?
- Mais Tahar, tu l'avais renvoyée ! et tu ne lui as pas donné sa pension
- Tu as une paire de bœuf dans l'écurie,

- ….
- ….
- Elle est chez son oncle à Alger
- Donne-moi l'adresse
- Je ne l'ai pas
- …

Tahar est pris d'une colère noire, et la conversation s'est arrêtée. Les deux goumiers frappé violemment leur interlocuteur, avant de casser toute la tuile de la maison. Puis les soldats sont partis, et Tahar propose à son camarade,

- On va aller à Houbelli, elle a là-bas une sœur et une tante.

Les soldats font des prisonniers, deux femmes et beaucoup d'hommes, dont Vava Abderrahmane. Ils ont emmené Joher boumesoun, elle avait résisté, deux soldats l'ont portée sur les épaules, on l'entendait crier jusqu'à laghrous. Tassadit, la femme de Mohand n-rouji, est arrêtée aussi.

Fatima g-Yahia et Fadma n-Saidh sont allées à Houbelli pressées par les maquisards de se hater et surtout de ne pas y passer la nuit. Titem arrive assez tôt à Houbelli. Elle frappe à la porte et Hlima lui ouvre sans tarder, derrière elle, arrivait Sadia. Toute en pleurs, Titem s'empresse de prendre la main de sa fille et la pose sur sa poitrine ;

- Donne-moi ta main, pour me calmer et m'assurer que tu n'es pas morte.
- Que s'est-il passé ?
- J'étais persuadée que tu étais, soit prise par les soldats, soit tuée.

Sadia

Mon refuge à houbelli avait été dénoncé par quelqu'un. Je me suis enfuie alors sans attendre. Si-Saïd de Taboudoucht m'a accompagné à Ihnouchene, où j'ai passé la nuit.

8 Mars 1958

Le lendemain mercredi, l'armée, accompagnée de Tahar, est arrivée à Houbelli. Le capitaine de Nador ne voulait pas de soldats étrangers à son secteur ;

- Ici dans le village, il n'y a pas de fellaga, il n y a pas de conflit. Je contrôle la situation, je ne veux pas de troupes étrangères à mon secteur.

Deux témoins, dont Zehra, sont allés signer une déclaration sur l'honneur, à la caserne de Nador, que Sadia n'était pas au village. Les deux femmes avaient néanmoins gardé contact. A Ihnouchène, depuis le début de la matinée, Si-hemd ou-Moh, tient les jumelles, et me signale qu'il voyait Houbelli encerclé. Il apprend vite quelques informations.

Apparemment ton père et trois goumiers sont avec eux. Ils torturent ton père avec l'électricité. Je vois venir de loin une femme et deux filles. Elles arrivent vers nous.

Dahvia

Tahar et Bouzid sont arrivés à houbelli, et ont frappé na-Hlima. Un moment Fadma n-Saidh chuchote inconsciemment à na-Hlima ;

- Dis leur qu'elle est à Ihnouchène

Bouzid l'a entendue.

- Tahar, on va voir à Ihnouchène !

Sadia

Un bon bout de temps après, Na-Zehra et deux filles d'un jeune âge nous rejoignent. Elles nous informent davantage. Fadma n-Saidh avait recommandé à na-Zehra de me convaincre de me rendre pour épargner mon père. Na-Zehra m'enjoint...

- Ils ont fait des prisonniers à Houbelli, 6 hommes en tout. Tu dois te rendre, ils vont tuer des gens à cause de toi.
- Qu'ils les tuent tous et je ne me rendrai pas.
- Tu devrais retourner auprès de ton mari. Quand il sera tué par les maquisards tu reviendras. Tu peux épargner beaucoup de souffrance à ton père.
- Reste avec nous, avec ta sœur, ne retourne pas au village, lui propose le maquisard
- Donc toi, si ton mari est dans un abri, tu risquerais de le vendre, me lance-t-elle.
- Jamais je ne retournerai auprès des français. Je mourrai dans l'honneur.

Le maquisard Si-hemd ou-mouh se tourne vers moi ;

- Rien que pour ces mots tu mérites un grade.

Il me presse aussitôt de prendre mes bagages. Dans la journée nous sommes déjà en chemin vers ath si-Yahia. Na-Zehra retourne à houbelli et elle est jetée en prison, à ma place.

Dahvia 8 mars 1959

Dans la soirée même, les soldats sont arrivés à Ihnouchène, accompagnés de Tahar et mon père. Pendant les perquisitions, ils sont allés voir yamina n'moh ou-Mhend. Elle lui répond sèchement,

- Tahar va voir ta sœur.

Tahar menaçait les gens et vociférait. Il arrive devant une femme qui faisait tomber son foulard comme pour se cacher les yeux. Il lui crie dessus, et elle lève les yeux et retire son foulard. Il découvre sa sœur, elle était mariée à un homme d'Ihnouchène.

Sa voix se casse, ses yeux se détournent, intimidé par sa sœur, Tahar termine sa démonstration publique d'un geste et tente de cacher sa gêne, et s'empresse de quitter le village pour se rabattre à la caserne de Nador. Ainsi Tahar est empêché de poursuivre les interrogatoires pour retrouver les traces de la fugitive.

A son retour d'Ihnouchène, Tahar n'avait pas dit son dernier mot, suite à la perquisition ratée, il avait des prisonniers pour calmer sa colère, na-Zahra, un certain si-Ahmed et Arezki ou-pacha...

9 mars 1958

Le lendemain, il était prévu que le vieux-père soit exécuté si sa fille ne se manifestait pas. Il était lui-même chargé de creuser sa propre tombe. Abderrahmane avait été terriblement torturé. Un moment donné, la sonnerie de midi retentit et les soldats doivent aller déjeuner. Jeté dans une chambre, il est épuisé.

Ils sont alors partis manger, assurés qu'il ne pourrait bouger sans aide. Il se lève, et regarde dans une sorte de cave, trouve un sac de pomme de terre vide, qu'il le met sur sa tête, et sort. Le gardien l'interpelle, Abderrahmane lui répond d'une gestuelle désinvolte de sa main, sans susciter davantage de suspicion. Il fait semblant d'aller chercher du bois, dans la broussaille environnante, sous le regard du soldat de la sentinelle.

Il part une fois, il revient poser une botte de brins, puis il repart une deuxième fois, et s'éloigne un peu plus. Le soldat reste indifférent. Alors il repart une troisième fois, et se met à marcher devant sans se retourner, préférant ainsi recevoir une balle de la part d'un soldat français plutôt que la torture.

Le gardien finit par l'ignorer. Il marche lentement jusqu'à ce qu'il se sente hors de vue. Il saute par-dessus le grillage, puis poursuit la marche dans les buissons de Nador. Le gardien le remarque mais fait mine de regarder ailleurs. Lorsqu'il s'aperçoit que le fugitif est assez loin, il tire un coup en l'air, qui alerte ses compagnons. Le fugitif était déjà très loin.

Abderrahmane s'en va discrètement, sans regarder derrière lui, sans brusquer le pas, jusqu'à s'évanouir dans la nature. Il marche péniblement, passe dans la dense broussaille descendant de Nador à Houbelli, puis continue de cheminer jusqu'à une rivière, qu'il suit en direction d'Ighil Nat Jennad.

Dahvia - 11 mars 1958

Nous étions encore à Ighervien. Vava Abderrahmane est rentré dans le village Imsounene avec beaucoup d'appréhension. Il a fini par reconnaitre quelques maquisards. Ils n'ont pas eu besoin de l'interroger longtemps, ses blessures renseignent assez clairement sur sur la torture qu'il avait subie. Il cauchemardait encore, il n'arrêtait pas de dire « ils me suivent » il racontait, qu'il avait subi de l'électricité et le supplice de l'eau de savon.

Sadia - Fin Mars 1958

Il est rentré discrètement au village, il a reconnu certains qu'ils étaient maquisards.

Ils ont vu qu'il avait subi la torture, Alors ils l'ont emmené à ath si yahia. Ils l'ont ramené à moi,

- C'est un homme que vous avez. pas une fille. Soyez tranquille, il ne lui arrivera rien.

Il était mécontent. J'étais la seule femme jusque là. Il ne m'a même pas parlé ce jour là.

Dahvia

De là il est emmené par les moudjahidines à Bounaâmane. Ils ont pansé toutes ses blessures. Après sa guérison, il est resté sur place. Il travaillait dans le service du bétail, il s'occupait des mulets qui transportaient les provisions pour les moudjahidines.

11 mars 1958

Depuis la perquisition, on est installé par les moudjahidines à la maison de refuge d'el hara n-Saidh Ouali. Nos maisons étaient détruites par Tahar, et puis il les connaissait. Il jurait d'arrêter 10 personnes de la famille de Mhend ou-Slimane, et dix autres de la famille de Mohand n-rouji. Il les accusait d'avoir évacué Sadia. Tassadit n'rouji et Joher bowmsoun ont été emprisonnées à la caserne d'ath Moussa puis Tahar les a transférées à Azazga.

Sadia

A Ath Si-Yahia, je me retrouve dans une grande maison de refuge. La maison appartenait à un certain Si-Saïd fils de Boutchamar. Il n'était pas maquisard. Boutchamar était mort à cette époque. Si-Ahmed boutchamar qui était aussi propriétaire du refuge, m'a surnommée la Fadma. Un homme s'approche de moi ;

- Est-ce que c'est vrai que tu t'appelles La fadma ?
- Oui.

Bouchamar en plus du symbole, il ne voulait pas donner mon vrai nom afin d'éviter les dénonciations. On m'invite à manger un peu. Je réponds que je voulais juste avoir un coin pour me reposer. C'était le premier jour de Ramadan.

12 mars 1958

L'espoir qu'avait Tahar de retrouver sa femme s'évanouit de nouveau. Zahra finit par quitter la cellule à son tour, libérée au bout 5 jours.

Mi-Mars 1958

En ce début de printemps, Moh ou-rezki n-Saïdh-Ouali, apprend que ses camarades qui avaient reçu des convocations comme lui, étaient partis au lieu du rendez-vous, et se sont fait tuer. Il avait étudié le français, alors il a été très vite soupçonné d'être un bleu.

Slimane - 20 Mars 1958

J'étais à Ikhervan, je faisais le pâturage et des maquisards sont arrivés par Amghrous, conduits par un certain Hend el Hocine de Mira. Il avait toute une compagnie. On dirait l'armée française.

Wrida

Les autorités françaises avaient émis un avis au début de la guerre, que toutes les armes allaient être réquisitionnées, vérifiées et recensés. Toutes celles qui avaient un permis de port d'arme sont concernées. Après cette phase d'inspection, certains ont pu les récupérer. Zi-Moh Amechtoh avait récupéré les deux fusils, le sien et celui de Zi-belkacem n-Moh ou-Mhend. Il avait créé un abri, à l'intérieur duquel il les cachait, sous un muret de pierre. C'était là qu'il rangeait la poudre noire, le plomb, la chevrotine, et autres outils de préparation.

Ahmed voulait rejoindre l'ALN, mais son père n'était pas d'accord;

- C'est impensable de combattre une telle puissance avec nos outils rudimentaires.
- Alors je pense qu'il faudra donner des armes à l'ALN.

Des maquisards sont arrivés au village Igherviene, les habitants les ont reçus, leur ont donné à manger, c'était un bataillon de près de 300 maquisards. Ils ont tout brulé, tout mangé, rien laissé aux gens.

Ils avaient demandé à zi-Moh el-haj

- c'est toi qui vas venir avec nous, tu lui diras de nous remettre ses armes,
- Moi je ne viendrai pas, j'ai peur qu'il vous réponde mal, je ne veux pas être complice de sa mort,

Eux ils sont malins, ils aiment piéger les gens. Zi-Mhend ou-Slimane, Vriroche, Kaci Namara et Moh Bwakli nath Ioun, sont arrivés devant la porte. Zi-Moh El-Haj n'était pas venu avec eux. Il s'interrogeait avec sa femme :

- Je me demande si ton père ne sera pas agressif avec eux. S'il n'est pas courtois avec eux, ils vont le tuer !
- Alors pourquoi tu ne vas pas les accompagner ?
- Ils ont refusé que j'aille avec eux, ils m'ont signifié : toi tu ne viendras pas, tu vas surveiller à Medmar.

Il y avait un gardien à Medmar, un autre à Mehrez, et un troisième à Taveqart. Zi-Mhend ou Slimane a tapé à la porte ;

- Ay Zimoh, Ay zimoh
- Anâam !

- Ouvre-nous la porte, on a besoin de toi.
- Yervah,

Ahmed a ouvert la porte. Ils ont serré la main sous le porche. Ils étaient en train de parler, et à l'extérieur il y a des maquisards partout. Dans tikhmirin entre autres.

- De quoi avez-vous besoin Mhend ?
- Si-Moh, nous sommes venus reprendre tes armes, on a entendu que tu les avais récupérées auprès de la gendarmerie. Il y a des gens engagés mais ils n'ont pas d'armes.
- Oui, ils me les ont restituées.
- Alors nous sommes venus les chercher. Vous nous donnez leurs papiers ainsi que tout ce que vous avez comme munitions.
- Yervah, mais les soldats vont venir les réclamer, je ne sais pas quoi leur dire. Hier seulement on les a récupérées d'azefoun.
- Vous leur répondez ce qu'ils veulent entendre. Te peux te débrouiller comme tu veux pour t'en sortir.

Il a pris une échelle, c'était à la chambre à l'étage qu'elles étaient cachées dans un mur pour que les soldats ne les trouvent pas. Il l'a appuyée contre un muret. Il a enlevé une pierre et a retirées les armes. Ils ont pris son fusil, celui de son fils et celui de Zi-Belkacem, ainsi qu'un pistolet à 9 balles et un sac de munitions, le petit-plomb, la chevrotine, le plomb, des ceintures remplies de munitions, tous les outils de nettoyage. Il a profité de parler à Zi-Belkacem, il a frappé à sa porte ;

- Belkacem,
- Anâam !
- Frère, sors, ils sont venus chercher les armes,
- Alors fais attention, il ne faut rien leur dire de travers,

Il a murmuré à son oreille,

- Mais comment on va dire aux autorités s'ils les réclament.
- Laisse, je m'en occupe. Demain je te dirai ce qu'il faudra leur dire.

Alors ils ont pris les armes, ont serré la main, bkaw ala khir. Ils sont repartis avec leurs hommes l'un derrière l'autre, tous passés près de la maison dirigés vers Tiverqouquin. Zi-Moh Amechtoh déclare,

- J'ai cru que j'allais y passer. Ils ne m'aiment pas depuis longtemps.

A cette époque ils disaient qu'il était béni oui oui. Ils lui cherchaient des excuses. Alors que personne ne gardait le secret comme lui.

Sadia 20 mars 1958

Moh ourezki était confiné dans la maison de Moh-cheik n-Saïdh Ouali, pendant longtemps. Il était ni avec l'armée, ni avec les maquisards. Il ne faisait que se cacher, il y avait creusé un abri, et prévient Joher Moh Amechtoh ;

- Ne le raconte à personne, pas même à mes parents !
- Et pourquoi un abri ici chez-moi ?
- C'est parce qu'il y a du cactus. C'est facile de rester plus longtemps caché.
- Tu te caches même pour tes parents ?

- Tu es prévenue, ... !

Les maquisards savaient qu'il se cachait quelque part dans le village, alors ils ont surveillé à partir de la maison de Saïdh Ouacif.

Dahvia 20 Mars 1958

Nous étions toutes à lehara n'said ouali, dans une maison de refuge, on cuisinait un diner pour les moudjahidine. Le chwa est prêt. On appelait ainsi les vermicelles. Najoher Moh amechtoh est remontée voir na Fatima n-Cheikh, à la maison de na-Dahvia Namar.

- Na fatih, donne-moi un peu de ragot pour Fatima n'Moh ou-lhocine, elle est chez moi. Elle en a reçu les senteurs, elle en a envie.

Na-Fatima n-cheikh s'est levée et lui a donné un peu de ragot et du pain. Joher, la femme de zi-Moh ourezki, allait à la maison de Moh cheikh et revenait chez elle en larmes. Arezki, son fils, était avec elle, il avait suivi sa mère à la maison de Moh cheikh, et y a trouvé son père. Il est venu voir na Fatima n'cheikh,

- Mon père est là-bas, si vous voulez le voir.

Joher lui a emboité le pas, elle est venue expliquer aux maquisards ;

- Moh Ourezki est seul, il aurait peut être besoin de vous. Est-ce-que je vais l'appeler pour vous rejoindre ou vous venez vous-même ?
- Surtout, ne lui dis rien, on arrive...

Un certain Hend el Hocine de Mira, est arrivé avec ses camarades devant la porte, toute la maison est encerclée. Il a appelé :

- A si Moh, tu peux sortir, on te fera rien, on ne va pas te frapper, on ne va pas te passer en jugement. Il ne t'arrivera rien.

La maison de Zi-Moh cheikh, avait une chambre près le porte extérieure. Il y avait un doukan, dessus étaient posées des valises. La lucarne dans la toiture était assez grande. Moh ourezki monte sur le doukan, puis sur les valises, il sort par tavoujrouts, il arrive sur la toiture d'Idir ou Said, puis il balance son arme et ses munitions à travers la lucarne en direction des assaillants.

Un homme de Boukharouba lui tire dessus. Moh ourezki, touché d'une rafale de mitrailleuse au ventre, tombe sur le sol, sa ceinture est traversée par sept balles. Grièvement blessé, il se lève, passe et chemine dans le cactus vers le sud, et se retrouve à Laghrous, avant de finir à la caserne Ath moussa. Il a été récupéré par un Hélicoptère pour l'emmener ailleurs recevoir des soins.

Wrida

Le soir Wardia arrive paniquée et épuisée.

- Mon père est-il ici ?
- Oui, il est là

Elle nous a raconté ensuite ce qui s'est passé avec elle.

- Moh el-Lhaj m'a dit « aujourd'hui ils sont allés voir ton père. Mais s'il leur répond mal, ils vont trouver une excuse, ils vont le tuer. Moi je n'ai pas pu les accompagner, car je ne pourrais pas intervenir, sinon ils vont me dire, tu es complice avec ton beau père ». Alors j'ai pleuré et j'ai tenu mon estomac morte d'angoisse.

Dahvia

Dans la soirée, les soldats avaient entendu les coups de feu, mais ne sont pas venus. Ils nous ont bombardés au mortier depuis la caserne d'Aghribs, ils ont touché le Mausolée Hend Agharvi et la maison de Moh Belhaj, sans causer beaucoup de dégâts. Des enfants, Sedik, Saïd, dehmane et hidouche jouaient dehors, mais il n ya pas eu de blessés. Nous sommes partis en cours de la nuit suivante à Azaghar.

21 Mars 1958

Titem, emmène en direction d'Azaghar, ses belles-filles ; Dahbia n-Ali et ses deux enfants Saïd et Fadma, Dahbia n-Mhend et ses deux garçons, tous accompagnés de Slimane, arrivé au milieu de l'adolescence. Ils sont accueillis par les Bounsiars à ath cheikh.

26 mars 1958

Le corps d'Elie Mourey est acheminé vers la maison de son père à Supt, en camionnette civile, enfermé dans une vulgaire boîte parmi tant d'autres, portant un simple numéro, sans plaque, sans cérémonie, et ce, un an après sa mort, le tout sans explication pour son frère qui reçoit son corps. Par-dessus tout, l'officier demande à son père, veuf, dont le deuxième fils est aussi militaire, une participation aux frais de rapatriement, et l'envoi de son plus jeune fils, le troisième, en Algérie. Elie est inhumé, le 26 mars 1958, au cimetière de Supt, dans l'ignorance la plus totale.

Sadia - Début Avril 1958

Mon père a fini par apprendre de mes nouvelles. Les maquisards l'ont ramené jusqu'à Ath si-Yahia. On me présente à lui,

- Voila ta fille, elle est solide comme un homme, tu peux compter sur elle. Elle peut rester ici, tu peux être tranquille, il ne lui arrivera rien.

Il n'était pas tout à fait content. Pas rassuré du tout. Cela n'était pas dans ses traditions qu'une femme se retrouve au maquis. Nous n'étions que quelques femmes. Il regarde le sol et se retient de dire le fond de sa pensée, avant de repartir, raccompagné au maquis de Bounâamane, là où se trouvaient les grands chefs, les vieux, les blessés et les animaux.

Dahvia - Avril 1958

Ahmed avait demandé à être sur la liste, il est enregistré, pour avoir une arme. L'homme qui détenait la liste a été tué une semaine plus tard par les soldats dans un accrochage. Alors il y a eu avis des maquisards,

- Ceux qui ont encore les papiers, doivent aller à l'ouest pour travailler et se réfugier. Ceux qui n'ont plus leurs papiers, peuvent venir avec nous mais il n y a pas d'armes. La liste est vendue.

Ahmed avait encore ses papiers, alors il est emmené par la liaison, passé d'un village à un autre, pendant la nuit, jusqu'à Oran, Saïda puis Mostaganem où il s'est installé plus durablement.

Chaâra - avril 1958.

Chaâra est une petite montagne à l'est du village d'Ait Aissi, près de Yakouren. En cette année 1958, elle est le lieu où les moudjahidines reçoivent des stages pour accéder au grade de sergent sous la responsabilité de Si Moh Ouali dit chéri bébé, de son vrai nom Slimani Mohamed. Le maquisard Sadet Boudjemaa dit B'Akrouche, Sediki Taieb dit Cheikh Taieb avec une section de maquisards étaient parmi eux, en ce Samedi du 19 Avril 1958.

Dès l'aube commence un intense bombardement vers Chaâra, puis arrive le tour de l'aviation qui arrose le lieu avec des bombes pendant un long moment et revient une seconde fois le tour de l'artillerie d'Ait Chafaa et d'Aghribs qui arrosent le lieu par des tirs croisés. Pour finir le travail c'est au tour des hommes de troupes qui ont encerclé les lieux, d'entamer la montée.

Les stagiaires de Chéri bébé ont une occasion de pratiquer un combat avec des balles réelles et appliquer tout ce qu'ils avaient appris sous le commandement de leur chef instructeur. Ils résistent et repoussent l'ennemi et en font beaucoup de morts. Juste avant le coucher du soleil, les militaires français commencent leur repli et à l'arrivée au bas de la montagne on entend des coups de feu du côté de Thahaguent, située au sud-ouest de Chaâra.

C'est Ali Boulkhou dit Bouzina qui les accueille avec sa compagnie de maquisards et en tuent un bon nombre et les soldats affolés prennent la fuite dans toutes les directions, dont la notre, et on m'avise que les soldats français sont là. A notre tour on les accueille à bout portant, juste au niveau du pont et on a eu notre quota. La mission accomplie, on se replie vers Tingatine.

Les pertes ALN sont de 14 martyrs, et du côté Français 65 tués et plusieurs blessés. Depuis cette date les maquisards ont donné au mont Chaâra le nom de la crête Si-Moh Ouali.

Dahvia - 20 Avril 1958

Nous étions d'abord chez Fadma n-cheikh, puis chez les autres, si-Mohand ath cheikh entre autres. Au bout d'une bonne période, près d'un mois, à ath cheikh, Tassadit moh ou-Rouji et Joher bowmsoun, sont arrivées. Dahvouche ou-rezki, était avec nous aussi.

Le lendemain il y avait ratissage à Ath cheikh, je ne suis pas sortie, car j'avais un bébé. Les autres sont allées chercher tasfourouts. Les soldats à ath Cheikh ne rentrent pas dans les maisons. Quand les soldats sont arrivés, certains ont reconnu l'épouse de Moh Belhaj et l'ont interpellée,

- Qu'est ce que tu fais toi ici ? il y a ton fils à la caserne d'el hed, tu pourrais être plus tranquille la bas !
- Non, je le renie celui-là. Il n'est plus mon fils.

21 Avril 1958

Cherif avait peur d'une dénonciation à cause de la mère de Tahar qui les avait vus. Cherif était l'agent de liaison qui travaillait avec les maquisards. Alors nous sommes allés à ath el Hocine, pour une nuit. Il n y avait que 4 maisons.

22 Avril 1958

A la nuit suivante, nous sommes partis avant l'aurore, sur des chevaux. à Ichertouhen. Nous y sommes restés 20 jours, puis il y a eu des soldats et des chars. C'était le printemps. Alors nous avons fui vers Guendoul, à la maison d'Arezki n-Saïd n-Hend.

Jejiga - 10 Mai 1958

Titem arrive chez nous à Guendoul en mai 1958, nous étions en train de planter les pommes de terre et les oignons. Elle nous aidait à faucher le gazon, elle avait toujours Mohand, l'ainé de son fils Ahmed, sur le dos. Elle disait,

- Mohand et Ahmed je sais où ils sont, ce qui me rend folle c'est Mohand ou Idir.

Elle est restée environs 3 mois, et un jour elle a entendu que Tahar allait perquisitionner. Elle a interpellé Cherif aussitôt ;

- Je crois qu'il va venir, il va nous tuer.
Dahvia

Mokrane Bouksil se marie avec Tassadit n-Belkacem Moh ou-Mhend. Les villageois célébraient son mariage durant la nuit, dans la maison de son père à l'extrême ouest du village.

Achour, un homme de Tagarsift et 6 ou 7 autres. Ils étaient en burnous. Ils ont rencontré Moh wali n'Ali Namar, à qui ils ont demandé la maison du mariage, il les avait pris pour des invités, et leur a indiqué le chemin. Ils sont rentrés dans le quartier...

Zehra n'boukejir - Mai 1958

Il cousait un burnous, puis il m'a dit, « Tiens, termine le ». Il me montrait comment le coudre, il m'a dit, « je vais l'emmener pour le donner à un moujahid ». J'étais en train de coudre le burnous au niveau de la poitrine, et Moh Wali Nali Namar appelle :

- Mokrane ! viens, des moujahidines te demandent. Ils sont au nord de la maison.

Mokrane a mis sa ceinture autour de son blason et y a glissé des munitions, puis a chargé son fusil rapidement. Il a toujours été méfiant. Il y avait deux portes dans cette maison, l'entrée vers le nord, et une autre vers le sud.

Il est sorti côté sud, et s'est caché derrière le coin de la maison de Moh Lwenes. Il a mis aux joue les canons de son fusil, il les a vus, et reconnu que ce n'étaient pas des moudjahidines. Il a tiré le premier, et eux ont lancé une rafale en retour. Il ne les a pas touchés car ils s'y attendaient. Mais ça lui a permis de s'échapper.

Il a fui vers laghrous, et eux ont vidé derrière lui un chargeur de mitrailleuse. Il est touché, à l'épaule et à la jambe. A peine arrivé à Tizi n'Tikouk, il est rentré dans la rivière Ighzer Hemza. Des femmes de Tawint l'ont accueilli, et l'ont emmené dans un abri où il a été soigné. Elles lui ont donné du lait, l'ont caché. Il est sauvé. Dans la nuit même il a été transporté à Mira sur une civière par des agents de liaison, dont Ahmed ou-Abderrahmane entre autres.

Wrida

Zehra ou-cheloud était l'épouse de Hocine moh Lwenes. Elle était aussi une mariée de 5000 francs. Fafouch n'Moh ou-Mhend était l'épouse de Mohand n'Cheikh, avec 5000 franc aussi. C'était à la même période et même dot que Joher bowmsoun et Hesni n'Hend lewnis.

A l'arrivée d'un rapport qui déclinait les achats pour la mariée, c'était des baskets en caoutchouc, un poncho, un pantalon, une robe, et on lui donnait 5000 francs. On disait à l'époque, celle-là est une femme de 5000 Francs.

Quand ils arrivent, ils préparent un diner, sacrifient un bouc, ou ils achètent une cuisse de bœuf, et ils la mangent avec les moudjahidines. Cheikh el-Hibous vient valider le mariage avec la lecture d'el fatiha, et la fête de mariage est terminée.

Un goumier a ironisé sur nous ; leurs robes sont toutes pareilles ... leurs femmes aussi, ... soit c'est jaune, soit c'est noir, ou c'est rouge, on se croirait dans un asile.

Depuis ce jour où les maquisards ont pris nos armes, il s'est installé une certaine confiance entre nous et eux. Ils venaient à la maison, ils mangeaient, et Ahmed leur écrivait des rapports.

Début juin 1958

Durant l'été 1958, Ahmed Moh Amechtoh était en train de creuser un puits dans son terrain à Tilmatin Tigezarin, quand des soldats français le surprennent. Ils le mettent aux arrêts, et l'accusent de construire un abri pour les rebelles. Tahar le prévient,

- Tu verras quand on arrivera à Azazga.

Les soldats le conduisent en prison. Arrivés à Azazga, Tahar le menace de nouveau et Ahmed lui rappelle ;

- Tu me parles ici en Français, tu es entouré de soldats, tu te sens puissant.

177

Tu oublies le kabyle et tu oublies que tu ne pouvais te mesurer à moi tout seul.

Son père le cherche partout mais n'a plus de nouvelles de lui. Les soldats rassemblent les femmes et les enfants à Tabeqart. Wrida venait d'avoir son premier garçon. Ils jettent ce dernier plus loin, et tabassent sa mère.

Un jour, un prisonnier libéré, vient informer Moh Amechtoh que son fils était dans la caserne d'Azazga. Ce dernier rentre à la maison et demande à Wrida de préparer une galette molle qu'il emporte avec lui et se rend à la prison pour réclama son fils. Les soldats lui refusent la visite. Un goumier intervient,

- Tu es arrivé jusqu'ici à ton âge, je vais te laisser le voir, mais très brièvement.

Il l'amène jusqu'à une barrière fermée. Son fils arrive de loin et vient s'approcher de l'autre côté, ligoté. Des blessures et traces de tortures très visibles sur son corps. Ils échangent pendant un court instant avant d'être séparés.

Une fois à la caserne d'Ali Omar, il était caché et personne n'avait plus de ses nouvelles. Les soldats haranguaient wali, pour le frapper, lui et les autres. Quand il finissait sa cigarette, il l'éteignait sur leurs bras. Wali avait lui-même perdu la raison sous la torture. Ahmed est torturé à plusieurs reprises, mais n'a rien avoué d'intéressant.

Changé de prison plus d'une fois, d'abord à Azazga, puis à la caserne d'Ali Omar, ensuite à celle de souk el hed, Ahmed se retrouve de nouveau à Azazga. Il termine son séjour carcéral à Timizart, où il finit par être libéré. A sa sortie, ses geôliers l'avertissent ;

- Si on te retrouve dans tes terres en train de creuser, ou on te ramène ici ou on te tuera sur place. Va changer de pays, ou va au maquis...

Moh Amechtoh a perdu deux fois un âne. Il allait récupérer du ravitaillement pour les femmes des maquisards, en arrivant à la caserne, ils lui confisquent l'âne, et ils le tuent. Et lui, ils le gardent en prison pendant deux ou trois jours.

Des agents de liaison nous ramenaient des vêtements pour les laver, et les recoudre. On remettait des boutons. On les pliait et on les remettait aux gens qui faisaient la collecte.

Un jour, nous lavions du linge pour les résistants, et des soldats en ratissage, arrivaient jusqu'à Tikhmirine, et à la maison, tout le plancher était rempli d'uniformes militaires. Je les ai alors rapidement jetés dans le puits et mis dessus des pierres. S'ils avaient trouvé tout ce linge, ils nous auraient tous cramé.

On les faisait sécher pendant la nuit au feu. Et si jamais les soldats voyaient ou si un avion passait et voyait la lumière en travers des tuiles abimées, ils bombardaient systématiquement.

Je faisais la traite de nos vaches. Des agents emportaient le lait dans des sceaux au refuge pour le cuir aux maquisards. On nous ramenait souvent du blé qu'on devait moudre. Ils nous disaient ;

- Quand la guerre sera finie, personne ne passera devant vous, pas même nos femmes et nos enfants.

Belkacem Moh el-haj

Début d'été 1958

Agressé par Tahar durant ses perquisitions, et fait prisonnier, zi-Moh Saïd ou-Abderrahmane est enfermé à la caserne d'ath Moussa dans une petite cage en barbelé. A sa libération, il a voulu fuir à Oran. Arrivé à Inourar, un soldat lui tire dessus, et le blesse à l'épaule. Les Moudjahidines ne l'ont pas pris en charge. Il se soignait alors en cachette. Les femmes le soignaient puis le cachaient. Elles savaient que si les soldats le trouvaient, il serait tué sur place. Il serait considéré comme un blessé du maquis.

Réfugié lui et son épouse Fetouma, chez Fadma G-yahia, au bout de 20 jours, cette dernière les convie à s'en aller. Ils étaient mécontents, mais le jour suivant des agents de laissons lui apprennent que son refuge avait été dénoncé. Il a émigré aussitôt à Oran.

A l'inverse de tous autres, il avait vécu dans l'ouest avant la guerre, et au village durant une grande partie de la guerre.

Tahar, après son ralliement, est devenu féroce envers tous les Ait-Slimane, et toujours autant envers Ath Amar. Mais il est resté clément envers tous les ouacifs, y compris les maquisards. Il fermait les yeux sur leurs activités. La mère de Moh Belhaj est sœur de l'épouse de Mohand Wamar.

Dahvia

La femme de Moh ourezki est restée au village. Lorsqu'il a repris ses forces, il est revenu récupérer sa femme. Son fils Arezki n'a pas voulu partir avec lui, il est resté au village. Moh ourezki n'a jamais fait de mal aux villageois. Un jour mon père a dit, si j'arrive à ramener Moh ourzki à l'ALN, je pourrai mourir tranquille le jour suivant.

Depuis son ralliement, il arrivait à Moh ourezki de participer aux perquisitions dans le village, avec les soldats, en compagnie de Tahar. Ce dernier buvait, insultait et violentait les villageois. Tandis que Moh-ourezki rassurait discrètement les gens ;

- Calmez-vous, ça va passer.

Un jour, arrivé devant la femme qui l'avait balancé aux maquisards, il la fixe dans les yeux;

- Aujourd'hui, je pourrais te tuer et demander à ma femme de pousser des youyous, comme tu l'avais fait pour moi.

Et son épouse intercède,

- Tu prends ta femme et tes enfants, tu te protèges, mais de grâce ne touche à aucun dans le village.

Moh ourezki poursuit son chemin.

Wrida mi-juin 1958

Après avoir désespéré de récupérer Sadia, Tahar épouse Ferroudja Moh cheikh. C'était une femme à la mesure de l'homme qu'elle épouse. Elle était elle aussi sœur d'un goumier. Moh cheikh et Rabah n'Ali n-Mhend étaient également goumiers.

Sadia

Les gens d'Iajmad devenus des harkis, ne faisaient pas confiance à Tahar. Lui, il craignait un règlement de compte. Alors, pour se protéger, et les assurer de sa fidélité, il a épousé une femme des leurs.

Wrida

Zi-Meziane racontait qu'au mariage de Tahar, il se trouvait à la caserne de Timizart, « ils ont pris le cheval d'Ouyidir Mohand-Ameziane et le cheval de Moh Amechtoh, ils les ont égorgés. Les soldats les ont mangés. J'en ai moi-même mangé, je mourais de faim » s'en amusait-il.

Moh Saïd Namar, un autre goumier, épouse alors la fille d'Ali Namara, de Timizart, c'était un goumier lui aussi. Des femmes faisaient autre fois des poèmes sur la bravoure de Tahar, par la suite, sur sa trahison, à l'âge de ses cheveux grisonnant.   Quand il arrivait dans le village, il menaçait les gens, les femmes notamment ;

- Pourquoi vous soutenez ces rebelles ?
- C'est toi qui nous as amenés dans le giron du parti. Depuis que tu t'es retiré, nous nous sommes retirées nous aussi. Répondent-elles pour se protéger.

Après son mariage, Tahar s'installe dans une maison aux quatre-chemins du centre ville d'Azazga. De là, il commence à sévir aux habitants de Cheurfa.

Mokrane est resté trois mois à Tamgout, pour recevoir des soins, avant de reprendre ses forces et revenir à Ighervien.

Eté 1958

Le neveu de Wriroche habitué d'Imsounère avait fini par être balancé et ses camarades veulent le désarmer. D'un geste vif, il arme sa mitraillette et les défie ;

- *theharm eldjihadiw, ar win ara dyazane ar theskoubaa*

Depuis ce jour, pendant plus d'un mois, il y a une distance de 20 mètres entre lui et ses camarades. Un jour ils lui annoncent qu'il est convoqué chez Amirouche. Il prend son paquet et se présente chez le colonel. Ce dernier, après avoir su de qui il s'agissait, il lui demande ;

- Qu'est ce qui t'amène ici ?
- On m'a dit que tu m'avais convoqué et je suis la.
- *Saha ya rebi, evghane a dhekfoughe a kham ne Vrirouche, aken a sinin si Amirouche ikfa a kham ne Vrirouche.*
- Reprends ton armes et va-t-en.

Il tombe au champ d'honneur quelques semaines plus tard sous le grade de lieutenant.

Fin Juillet 1958

Amanzougarène Achour lieutenant politico-militaire de la wilaya 3, zone 3, région 4 qui comprenait Mekla, Aghribs, Freha, Mizrana et le camp du maréchal, est proche collaborateur du colonel Amirouche.

Deux de ses frères maquisards sont tués au combat par l'armée française. Achour est arrêté par ses camarades sur dénonciation, sur fond de la bleuite, durant l'été 1958. En rétention au maquis d'Averan, il attendait son procès auprès du colonel.

Au milieu de la nuit, il s'échappe, et ses camarades, dont un certain Tafat, découvrent l'évasion de justesse. Achour a un seul objectif, se rallier. Il se rend à la section administrative spécialisée de Kahra, le vendredi du 1er Aout 1958 au matin.

Connu par ses anciens adversaires, il sera vite incorporé au 13ème régiment des dragons parachutistes stationnés à Azazga avec le grade de maréchal des logis.

La soif de vengeance aveugle l'habite, et il s'en revendique. Un jour, en cours d'une perquisition au village ath wuchen, il interroge un certain Amara Djebrani, un homme qu'il connaissait de parenté,

- Quand est-ce-que les maquisards sont passés dans le village ?
- Il n'y a pas de maquisards par ici, ...

A peine sa réponse est terminée, qu'Achour le fait déjà virevolter d'une gifle, avant de lui repréciser,

- *A khali*, je ne t'avais pas demandé si les maquisards étaient passés par là, mais quand étaient-ils passés par là.

Sadia été 1958

Les bleus ont ramené du matériel qu'on ne voyait jamais avant au maquis, dactylo, téléphone,...et autres appareils, et tous les abris étaient dénoncés.

Il y avait un abri à At Rehouna depuis les romains. Il était devenu quartier général pour les maquisards, ...il a été dénoncé. Tous les refuges, les hôpitaux installés dans le maquis, et les circuits de ravitaillement sont vendus.

Epuration été 1958

En 1958, les maquisards sont dans une très mauvaise période en termes d'organisation. Ils n'arrivaient pas à atteindre Ali Omar, à qui ils reprochaient d'être complice avec l'administration coloniale. Ils l'avaient aussi condamné pour sa dénonciation de l'assassinat de son fils, décapité près de 4 ans plutôt. Alors ils délèguent un adolescent, Amar ou-Saïd, pour l'assassiner. C'était son baptême de feu. Les locaux commerciaux du défunt, situés près d'agouni temlilin, deviennent une caserne.

Wrida 10 Aout 1958

Cherif les a évacués à Igherviene n-Bouimer, sur deux chevaux, emportant leurs leurs bagages, nourriture, café, sucre et huile d'olive. A Taboukirt ils sont réfugiés chez la famille Saïd Igharoussen. Là-bas, c'était une vie rurale, les gens ne se connaissaient pas. Même si les soldats d'Amzizgou y venaient, ils ne les reconnaitraient pas. Elles durent y rester environs un mois.

Elles sont restées la bas un mois, puis elles ont envoyé un message, « il faut que si-Cherif vienne nous chercher », sans davantage expliquer.

- Qu'est ce qui vous dérange ici ? qui vous a proféré des propos déplacé ?

- Non, il n y a rien. Mais change-nous de place s'il te plait.

Titem avait tu le motif du déménagement. Cherif n'Si-rezki, le chef d'organisation du village Guendoul, les ramène chez lui. Elles n'y étaient pas connues. Mais, Zehra welhaj, la mère de Cherif, est sœur de Moh Belhaj.

A l'arrivée des exilés, Jedjiga demande à Titem les raisons de son souhait de quitter Taboukirt. Elle explique le très mauvais accueil dont ils étaient sujets là-bas. Les réfugiées étaient en conflit avec Tamazarits, une épouse des Bouksil. Cette dernière ne voulait pas d'elles, même si leur nourriture était rationnée auprès de l'armée de libération.

Titem fait promettre à Jedjiga de ne jamais le répéter aux hommes. Elle savait que les maquisards pouvaient condamner Tamazarits pour mauvais traitement d'un réfugié.

Amr ou-Saâ- Mira été 1958

Nous étions près de 36 éléments. On avait deux pièces, on les avait laissées à la crête de Mira. On allait rester dans le village jusqu'au soir, mais les soldats sont arrivés. Bien avant l'aurore, le groupe qui était au mausolée de Moulith, a commencé un accrochage avec les soldats au sol, nous étions encore au village.

Aussitôt nous sommes remontés à la crête de Mira, où nous avions laissé une pièce. Le temps d'arriver à la forêt de Moulith, j'ai regardé à agouni n'Mira. Les soldats de Timizart y étaient déjà. Les soldats de l'école d'Ibdache, sont arrivés à Takiwecht au dessus d'ighervien.

Nous avions deux pièces, l'une était isolée, éloignée, à taburt guirig. On s'y dirigeait, on n'y était pas encore arrivé, qu'on nous annonçait qu'un char et un track étaient arrivés au rocher de Moulith. C'était les soldats d'aghribs. Nous étions déjà encerclés, mais pas totalement.

Il y avait encore des agents de liaisons avec nous qui avaient pu fuir le village, venus d'ighervien comme Belkacem Bouksil et de Tawint. Trois agents de tawint sont morts.

L'un est tué à takiwecht par les soldats d'ibdache, c'était le frère d'Arezki tawint. Arezki était d'ailleurs avec nous à Moulith. Les agents arrivés jusqu'à nous, voulaient rester, mais nous avons refusé ;

- Allez, sortez d'ici, tant que c'est possible. Il y a encore un moyen de fuir, nous ne sommes pas encore complètement encerclés.

Mohand n'amar bwakli, et 5 autres agents, sont partis de là, et parvenus à ath bouali. Notre groupe est resté dans la forêt. 9 avions ont commencé le bombardement. Lorsque les avions s'apprêtaient à bombarder, les soldats au sol se repliaient jusqu'au point de départ. Durant cette phase, on profitait de leur tirer dessus. On a touché un bon nombre. Ils prenaient le temps de retirer leurs morts et leurs blessés jusqu'au point de repli. Puis c'est le tour de l'aviation.

On avait un avantage, quand les avions ont fini de tirer, ils retournent à Alger pour recharger en munitions et en carburant. Alors les soldats au sol, mènent l'assaut. Ils tirent, et des qu'ils terminent, les avions arrivent, puis les avions s'en vont, et les soldats au sol s'aperçoivent qu'on est toujours là. Ils repartent jusqu'à leur point de repli, puis ils reprennent les tirs. Nous sommes restés avec eux en accrochage toute la journée.

Le soir venu, ils avaient toujours du mal à accéder à la première crête où il y avait un mausolée. On a vu arriver un avion nommé T26, qui avait une sorte de tuyau à l'arrière. Le chef de région avertit ;

- On va quitter cette crête, car ils peuvent nous exterminer ici avec du napalm. Des qu'il arrivera ici, il y aura un autre avions qui n'apparait pas encore, il va enchainer le bombardement.

Des que l'avion est arrivé au dessus de la crête, il a jeté près de 150 litre d'essence, puis à la deuxième crête ils ont fait de même. Mais nous étions déjà repliés loin des endroits ciblés. C'était le soir, ils avaient cessé les bombardements, ils toucheraient sinon les leurs.

Les français sont intelligents, ils ne mettaient pas un grand nombre pour mourir nombreux d'un seul coup. Mais il n'y a pas un accrochage, où il n y a pas eu de soldats tués. La différence, d'un cas à l'autre, c'est le nombre de victimes.

J'ai été blessé dans cet accrochage. Après un passage à l'infirmerie, j'ai été retenu au niveau de cette structure pendant près de 4 mois pour en assurer la sécurité. En bon connaisseur de terrain, j'ai été appelé de nouveau par la compagnie pour aider Bouzrourou dans la gestion de la Kasma de la région. Bouzrourou, pour fuir la justice du FLN, s'est rendu aux Français. Iguerguite est de nouveau chef de la Kasma.

Quelques mois plus tard, j'ai rejoint le groupe de commandos d'élite de la wilaya 3. C'est là que commence l'autre phase de combat de ma vie de maquisard.

Au printemps 1958, avec un commando composé de 5 éléments, nous avions tendu une embuscade au maire de Fréha qui s'appelait Robert. Nous l'avons attendu au pont l'Aïch Oufelkou à la sortie de Fréha, finalement c'était le commandant d'Azazga qui était de passage. En repérant nos armes il a tenté de fuir mais nous l'avons abattu par plusieurs coups de rafales. Nous sommes sauvés par les hommes qui ont fait l'Indochine, ils avaient la tactique de guerre, et savaient construire un abri.

Une fois à Imaloussen, un membre de notre section s'est rendu. Il était chef de groupe, il connaissait beaucoup d'abris. Là où nous étions, il le connaissait. Je connaissais tous les abris, y compris ceux qu'il ne connaissait pas. Alors nous en sommes sortis, et nous sommes allés à quatre, dans un abri, fait pour deux personnes, qui y étaient déjà à l'intérieur, prévu qu'ils y dorment. Alors nous étions six, Omar tawint était parmi nous. Et on ne pouvait y être qu'en position assise. Mais si nous y étions restés encore 30 minutes, nous serions morts dans l'étouffement.

El Horane mi-Aout 1958

L'ALN n'achevait pas ses prisonniers blessés. Amirouche voulait échanger le chef avec un combattant d'El Kseur, le lieutenant Hocine Salhi. Pour ce faire, il a envoyé un émissaire auprès du colonel basé à Bougie, mais celui-ci a répondu d'une manière agressive et insultante en menaçant de se venger en récupérant ses armes et ses soldats. Ses supérieurs ont refusé l'échange avec le lieutenant Hocine Salhi, préférant l'assassiner près d'El-Kseur. Amirouche s'adresse alors au lieutenant Dubosc :

- Vous venez d'être condamné par votre supérieur le colonel commandant du groupement de Bougie.

Le châle que le colonel Amirouche portait sur sa tête appartenait au lieutenant exécuté en représailles de l'assassinat de Salhi et il l'avait mis en signe de deuil.

Le poste était occupé au total par trente-trois personnes, dont cinq Algériens et deux gardes forestiers. L'hypothèse d'une complicité intérieure ayant permis l'attaque des rebelles est envisagée.

Les recherches aussitôt entreprises pour retrouver les militaires français faits prisonniers n'aboutissent à aucun résultat.
Le lieutenant-colonel Goussault, qui a annoncé lundi soir la découverte du corps du lieutenant Olivier Dubosc, a précisé que l'acte de condamnation signé d'Amirouche avait été remis à la Croix-Rouge internationale. Une lettre, signée du colonel Amirouche, fut adressée à ses parents pour s'en excuser et leur dire que la responsabilité incombe entièrement aux seules autorités militaires coloniales installées à Bougie.

Amr ou-Saâ

A l'époque de Krim et Mohamedi Saïd, on avait des sections de 34 personnes. 80% des armes étaient des fusils de chasse. On tirait sur les soldats et on se repliait aussitôt. On ne s'accrochait pas jusqu'au soir. On n'avait pas d'armement moderne.

Quand Amirouche est arrivé, le GPRA est entré en Tunisie, ils nous ont ramené des armes, on avait des pièces meilleures que celles des français. On a fini par attraper des prisonniers. Et Amirouche disait toujours «un prisonnier, il faut me le ramener, il ne faut pas le tuer ».

On le lui ramène, il lui dit, « lorsque vous combattiez l'Allemagne, nous on vous aidait,... Est-ce que vous promettez de parler la vérité sur nous auprès de votre famille et vos camarades, si on vous relâche... ?». « ...oui je promets... ». On relâchait un prisonnier le matin, le soir on l'entendait parler avec des journalistes à la radio.

Jejiga - Fin- Aout 1958

A Guendoul, elles sont restées une période, puis un jour Chérif a eu vent d'une perquisition éminente. Elles demandent à être évacuées. Cherif demande à La-Titem,

- Vous avez peur de ce garçon ?
- Tu crois que c'est un garçon ? c'est un vieux, que Dieu le maudisse. J'ai peur

qu'il nous reconnaisse ici, il va nous bruler.

Les soldats français accompagnés de Tahar et Achour n-Boujemaa, perquisitionnent dans le village de Guendoul, alors des femmes ont caché Titem et ses belles filles, en attendant que la vague passe. Après les perquisitions dans le village Guendoul, Akli n-Bouailech et Arezki n-Cherif, se dépêchent de ramener Titem et toute la famille chez les Bounsiar à Ath cheikh. Deux ânes ont transporté leurs bagages.

Mi-Septembre 1958

C'était en fin été. En arrivant à tikentart, Cherif voit des fusils qui reluisent au clair de lune.

- On va lire la chahada, car ils vont nous tuer, mais ces femmes on doit les faire rentrer à la maison de refuge.

On a frappé à la porte, elles sont rentrées. La lune est cachée par les nuages. Un moment plus tard, il y a eu plus de lumière, et on les a reconnus, c'étaient des maquisards. Ils nous ont approchés

- Ah c'est vous !

Ils sont restés un mois environs, à Ath cheikh puis, ils sont informés d'une perquisition à venir de Tahar dans le secteur Tikentart. Puis ils ont appelé pour revenir.

Jejiga - Mi-octobre 1958

Cherif les ramène de nouveau à Guendoul. Na baya demande à Titem.

- Il est où Zi-Abderrahmane ?
- Il est dans la caserne de Nador. Ils ont exigé de livrer la femme, et il leur a répondu « non et si vous voulez me tuer, tuez moi,... ».

Cherif ou-Rezki et Mohand ou Abderrahmane, étaient camarades de lutte durant le mouvement national. Un jour dans une conversation la-titem demande ;

- A na baya, tu penses que Mohand ou idir est toujours en vie ?

200

- Il est en vie, et il se porte bien. sois tranquille la-Titem,

Alors la-titem se lève et embrasse la tête de na baya. Mon fils Salah avait le même âge que Saïd. Ils se bagarraient souvent. Quand Salah se plaignait de Said, je l'avertissais.

- Ne le touche pas celui-là. je veux qu'il lui arrive rien.

Cherif a acheté des robes pour les femmes, alors elles voulaient envoyer Slimane pour leur acheter Tisfifin. La Titem refuse

- Non, pas lui, je ne veux pas que les soldats le tuent. Mettez ce que vous avez, et restez tranquilles.

Elles sont restées chez nous 2 mois, puis il y a eu ratissage à Guendoul.

Dahvia

Khali hocine moh lwenes agour est tué durant cette perquisition, il était en haut d'un grenadier, ils lui ont tiré dessus. Nous étions encore là-bas.

Paris Automne 1958

On nous avait annoncé à la direction qu'il y avait eu 800 disparitions de nos civils et militants. Aucune nouvelle d'eux. Avec les messalistes, on finissait par avoir des nouvelles, grâce aux revendications. Mais les autres, les français, c'est différent ...

Zi-Mohand a été victime d'agression un jour de la part d'un groupe d'individus. Des français qui activaient en autonomie mais suivant un discours politique extrémiste. Ils ont failli le jeter dans la scène. Il ne s'est pas laissé faire, et d'autres ont pu intervenir.

Rue Saint Sabin

Un soir d'automne, Moh-Idir longeait la rue déserte de l'hôtel, dans le noir, et croise un individu. Un français d'une grande taille et d'un bon gabarit, arrive vers lui, réclame ses papiers et lui demande de le suivre. Il lui tient d'abord les deux mains assez rapidement derrière le dos.

Pendant un moment Moh-idir se laisse entrainer et cogite. Quand ils arrivent à la hauteur de l'hôtel sis à 52, rue saint sabin, il prend une bonne respiration, se retourne et détache ses mains, avant d'envoyer un coup de poing sur la figure de l'inconnu. Son œil est touché. Il continue de lui asséner des coups de pieds et coups de poing. Le gaillard vacille et traverse la route vers le trottoir d'en face, où il finit par s'écrouler, butant le visage sur le sol. Mohand idir termine son travail en lui sautant d'un coup pieds sur la tête, puis remonte aussitôt dans sa chambre de l'hôtel.

Sans allumer la lampe, il regarde depuis la fenêtre, et l'inconnu gît toujours sur le sol. Sa bouche saigne abondamment... Le lendemain, en sortant, il trouve des bouts de gencives dans une flaque de sang, sur le trottoir. Depuis, aucune nouvelle de l'individu. Il était manifestement de l'extrême droite. Un militant du réseau Jaques Soustelle, qui orchestrait des disparitions forcées, sans aval manifeste du gouvernement, en automne de l'année 1958.

Sadia - Fin octobre 1958

Le refuge d'Ath Si Yahia est vendu. La maison est dénoncée par un certain Belaïd n'at Aissi. Il était maquisard avant de rallier les français.

Lorsque les soldats sont arrivés pour ratisser, il n'y avait pas encore de maquisards. Ils sont arrivés par la suite, mais les soldats étaient déjà partis pour un autre secteur. Un moment plus tard, nous évoluions à marche soutenue dans la forêt, et les français ne nous voyaient pas.

Un avion mouchard survolait toute la zone pendant un bon moment depuis 2h du matin. Les maquisards surveillaient. Un des pilotes s'apprêtait à prendre des photos et un maquisard tire sur l'avion, sans le toucher sérieusement.

Un court instant plus tard, l'avion, est rejoint par sept autres qui ont commencé aussitôt le bombardement. Ils ont ciblé la forêt, le village et tous les alentours, comme les rivières où ils soupçonnaient des refuges, pendant 4 heures. Nous avons fui vers Ath

Hend Ouali, pas loin d'Ath Rehouna. Nous avons pris un tunnel.

Un maquisard est touché mortellement. A ce moment là, on me signifie qu'il valait mieux changer de vêtements et retourner au village Ath Si-Yahia pour me fondre parmi les autres femmes.

Une fille été tuée. A mon arrivée au village en tenue militaire, les femmes semblaient vouloir se dédouaner de ma présence. Elles s'éloignaient, mais la plupart restaient dans les parages.

Un petit groupe de femmes ne voulait pas rester avec nous. Elles fuyaient dans la cave d'une une maison. L'avion les suivait et a piqué vers la maison. Un maquisard lui a tiré dessus avant de s'enfuir. L'avion lâche une énorme charge d'essence, et les flammes montaient vite vers le ciel. Ces femmes ont été rattrapées par le feu au niveau de la porte. Elles ont été blessées mais ont survécu.

Compte tenu de la férocité de l'attaque, les soldats français devaient se dire, et nous le pensions aussi, que peu de gens allaient survivre à ces flammes. Mais Dieu merci, il n'y-a pas eu beaucoup de morts.

A 15h les soldats sont entrés dans le village. Ils n'ont pas jugé nécessaire de brutaliser davantage les villageois. Pour eux, le bombardement avait fait tout le travail à leur place.

Au refuge, le soir venu, les maquisards sont revenus. Ils y'ont diné. Nous nous y-sommes tous retrouvés. Entre discussion et rires, nous avons passé un bon moment avant de nous reposer jusqu'au petit matin. Les maquisards ont quitté le refuge d'Ath Si-Yahia pour gagner assez-tôt Ath Rehouna.

Mi-octobre 1958

Réfugiée à ath si Yahia depuis 7 mois, Sadia, j'étais appréciée par tous dans le village. Je bougeais par-ci par-là, mais je revenais au village. Quelques courtes semaines après l'attaque qui a suivi la dénonciation du refuge, il y a eu un deuxième ratissage. Sous la pression de l'affaire des bleus, j'ai été raccompagnée à Ath Rehouna en milieu d'automne 1958.

Mohand Igherviene fin 1958

En route vers Melouza, nous sommes pris par un ratissage entre Ouled Bouhedid et Ouled Sidi Amar, et ce jour-là, Mayouf, le chef organique de ce dernier village, est tombé au champ d'honneur. Nous avons pu sortir et atteindre le village Taslent, près d'Akbou, où nous nous sommes refugiés. Sur place, on nous a égorgé un bœuf, et au petit matin, nous sommes encore encerclés.

Nous sommes poursuivis pendant 6 jours par des militaires aidés par un pistage d'aviation. Les tirs s'engagent dès 4h du matin pour durer jusqu'au soir. Les soldats français cessent de tirer, alors que nous, nous n'avons pas eu de répit. Quelqu'un aurait dit aux Français :

- Vous les trouverez ces fellagas tous endormis. Vous les attachez et les ramenez.

Mais ça été un cuisant échec pour eux. Nous avons fait tellement de victimes chez les Français que ce jour-là, tous les jeunes de

Taslent ont rejoint les rangs des maquisards, après avoir pris les armes et détroussé de leur tenue les soldats tombés.

Nous avions même pu récupérer des armes Thomson américaines. A 15h, on nous lance des tracts demandant l'arrêt des tirs pour permettre d'enlever les cadavres, mais nous, nous ne pouvions nous arrêter, sachant que nous n'étions pas une armée régulière. Pendant que nous cherchions à nous en sortir, nous voyons 8 soldats lever les mains en l'air et se rendre vers nous, leur arme en bandoulière, jusqu'à ce qu'ils pénètrent dans nos rangs.

C'était des appelés kabyles dans les rangs de l'armée française. Parmi eux figurait un nommé Saïd Tazazraït de Tamda. Puis ces jeunes appelés sont venus avec nous, avec leurs armes jusqu'à Akfadou où nous y sommes restés. L'année 1958 tirait alors à sa fin. Là, on a remplacé Moh Arezki Amechtoh de notre compagnie et on a reformé notre bataillon de choc.

Zernouh, qui avait réussi l'exploit d'El Hodna, reçoit le grade de capitaine des mains de Si Amirouche qui met notre bataillon sous sa responsabilité.

Dahvia - Mi- Janvier 1959

Alors nous sommes évacués vers Tamda. Là-bas, il n'y avait ni soldats ni maquisards. Chaque semaine l'agent de liaison nous ramenait le ravitaillement et récupérait les cotisations.

Wrida - Fin Février 1959

Des maquisards sont venus se réfugier, à el-hara n'Saidh wali, Mhend n'nana Wezna était avec eux. Il est venu chez moi, on a discuté un peu, il m'a dit

- Akhat, s'il te plait, envoie un message à ma mère, dis lui, elle c'est ta sœur elle va t'écouter. Je vais envoyer quelqu'un pour ramener mon fils et ma femme pour les voir, demain je vais revenir ici au village Igherviene,

Alors j'ai envoyé quelqu'un qui a transmis le message à ma sœur. Elle a répondu,

- Je ne peux pas, car je suis contrôlée chaque matin par les soldats, si on ne me trouve pas, ils vous nous emmener tous en prison.

Pour sa femme, son père a également refusé. Du coup elle n'est pas venue. Le lendemain Tacharfiwt est rentrée chez moi, et m'a demandé,

- Le fils de ta sœur veut savoir ce qu'ils t'ont répondu.
- Elle te dit, on ne peut pas. elle est contrôlée chaque matin, le sergent à la jambe amputée accompagné des soldats de Tazazraït arrive régulièrement. S'ils ne la trouvent pas, ils peuvent les jeter tous en prison.
- Yervah a lala, je vais le lui dire.
- Mhend, tu l'as vu ?
- Oui, il est revenu hier soir. Il est venu à la maison avec Marzouk, il avait diné à la maison de refuge. Je l'ai vu de mes propres yeux. J'ai discuté avec lui.

Tacharfiwt avait ramené un sceau de bouse de vache, elle avait préparé une patte d'argile, pour lisser le plancher. Elle est sortie de chez moi, a posé le sceau sur sa tête, à peine arrivée chez-elle que les soldats déferlaient déjà d'el Ghebassa, et puis on a commencé à les voir descendre du rocher ath Ali, Inourar, du rocher Ouzala, depuis Azrar t'mekhoucht, une minute et ils ont encerclé le tout village comme un collier.

Elle a posé le bidon devant la porte de sa maison, elle s'est empressée d'arriver à Tazemmourt tighilt. Elles se sont regroupées là-bas. Nous nous sommes regroupées à Taslent, la panique est générale, des cris partout.

Il y avait beaucoup de goumiers ce jour là, vouyaghoyal, Saïd du village Tawint, Tahar el haj, Mohand n'Saïd Namar, un certain Bouzrourou, Idir n'Boujemaa ou-Idir, Ils sont tous arrivés. Ils nous bousculaient, nous poussaient et nous brutalisaient. Achour n'était pas venu et Tahar non plus. Mohand n'Saïd Namar arrive et interpelle Zahra ou-Cheloud ;

- Viens faire la bise à ton cousin. Zahra, tu ne viens pas me saluer ? Ou bien c'est comme je suis goumier tu ne me salues pas ! Cette main tu vas l'embrasser ou je te tue, ¨car je suis ton cousin.

Tacharfiwt intervient, ….

- Elle ne viendra pas. Pourquoi embrasserait-elle ta main, ou te saluerait-elle ? Elle suit son chemin, et tu suivras le tien…
- C'est toi qui vas me commander ?
- Oui je vais commander.

Elle avait sa fille sur son dos, attachée avec un tissu. Elle a commencé une altercation avec lui. Il frappe et elle frappe. Tassadit Moh Cheikh s'est mêlée, tout comme Fadma Namar Wali et Na Fadma tameziant…,

Des cris s'entremêlent avec des coups de poing, et elles font tomber Moh Saïd Namar. A peine elles l'ont mis à terre que l'une lui a enlevé son chapeau et l'autre essayait de lui retirer son arme. Il s'accroche à son arme et tire une rafale depuis le sol ;

- Vous êtes venues me tuer, maintenant c'est moi qui vous tuerai,

Il a touché tacharfiwt au bas ventre et elle s'est tournée vers tazemourt tighilt ;

- Je vais laisser mes enfants, c'est fini je suis morte.

Les balles qui sortaient du ventre de tacharfiwt, grinçaient en rentrant dans la robe à hauteur de la poitrine de Famda Tameziant, qui tente de la rassurer ;

- N'aie pas peur tacharfiwt,
- Non je vais mourir. Les balles sont sorties de mon ventre, et elles sont arrivées jusqu'à ta poitrine,...

Fadma tameziant

On a enlevé sa fille de son dos, et on l'a posé sur nos genoux. Leur départ a été sifflé, les soldats sont partis,... On l'a ramenée dans une couverture, à sa maison, elle poussait des cris en agonisant. Les maquisards sont venus la voir, dont un infirmier ;

- On ne peut rien faire pour elle. Ses artères sont sectionnées,...

On a retrouvé le sceau de la bouse, resté sur le seuil de sa maison. Elle l'y avait laissé en fuyant avec ses petits. Ce n'était pas encore le printemps. Il faisait un peu froid, fin février ou début Mars.

Le soir

Fadma Tacharfiwt succombe à ses blessures, à l'âge de 45 ans, laissant derrière elle un garçon et une fille de bas âge. Belkacem Moh ou-lhocine était dans l'abri avec ses camarades « on a su qu'il y avait perquisition et on n'est pas sorti ».

Moh el-haj était à Takejout en fin de journée entourée de quelques femmes. Tarezkits, une épouse des ouacifs, vient le voir.

- Ne t'inquiète Na fadma, ton fils te salue, il est …vivant,
- Ne t'inquiète Moh el haj, je suis seulement venu te voir, mais je sais que mon fils est mort.

Wrida

Moh ourouji est venu récupérer ses enfants, et les vieilles femmes, en direction de boujima. Un enfant a été porté par na-yamna, et une autre a été portée par na-Fadma n'cheikh saidh, jusqu'à boujima. Puis ils ont pris le car en direction d'Alger, pour qu'il puisse travailler.

Par la suite, joher, sa femme, s'est occupée de la fille de tacharfiwt. Menacé, le goumier ne traine plus dans la région depuis.

Printemps 1959

Moh-el-haj prévenait Wardia;

- Il ne faut jamais provoquer Tahar. Il est malade. Il n'a pas toute sa conscience.

Un jour, en marge d'une perquisition, Tahar interroge Wardia,

- Quand est ce que les rebelles sont passés dans le quartier ?
- Tu sais tout, je ne vais rien t'apprendre.

Elle a à peine le temps de finir sa phrase qu'elle reçoit déjà une gifle qui l'envoie au sol. Elle raconte plusieurs jours plus tard l'incident à Moh el-Haj et ce dernier la réprimande ;

- Je t'avais prévenue. Il ne fallait pas le mettre en rogne. Il ne va pas bien.

Vers la fin, Tahar tout regrettait tout. Il voulait rallier de nouveau l'ALN. Les résistants lui posent alors une condition ; qu'il ramène avec lui deux goumiers, condamnés par l'ALN. Tahar se présente avec les dits goumiers, sur le lieu du Rendez-vous, à leur insu sur ses visées. Mais les maquisards ont fait défaut. Tahar, accablé, finit en larmes.

Il s'est retrouvé dans l'impasse. Les causes de son ralliement avaient disparu après son mariage, et la naissance de son fils. Mais il avait fait beaucoup de bavure, et auprès ses anciens camarades, il était indésirable pour son caractère. Il avait de l'arrogance, il aimait défier ses camarades, et cherchait la bagarre pour la moindre cause.

Sadia mars 1959

Oumira s'est élevé tôt, depuis son séjour en Tunisie, contre les sévices dont étaient victimes les premiers maquisards suspectés abusivement de collaboration avec l'ennemi.

Quand il est arrivé au maquis Kabyle, il a commencé à s'opposer au colonel Amirouche. Il faisait des discours plus conciliants et rassembleurs. Les tortures ont commencé à s'arrêter. Il y avait de moins en moins de prisonniers et de morts fratricides. Amirouche a fait une réunion pour ses officiers et ses compagnons ;

- Ces gens qui sont morts dans l'affaire des bleus, nous n'allons pas les considérer comme des traitres. Ce sont pour nous toujours des résistants, tombés au champ d'honneur.

Il voulait nous encourager à poursuivre le combat. Il savait que certains n'avaient plus le moral. Puis, il s'est dirigé vers la Tunisie avec un groupe d'homme, pour aller chercher de l'armement.

Mohand Igherviene

Sous le commandement de Zernouh, notre bataillon a repris la marche vers Batna. Nous étions déjà en mars 1959. En arrivant quelque part entre Sétif et Barika, nous occupions une le mont Maâdhi, et c'est là que nous apprenons, par radio, la mort de Si-Amirouche et Si-El-Haoues. Un choc terrible est subi par nos troupes.

En arrivant à Djebel Boutaleb près de Batna, nous apprenons officiellement la bouleversante nouvelle. Le moral était au plus bas. Mais quelques uns tenaient mieux le coup, et arrivent à redresser la barre. Le slogan « Nous sommes tous des Amirouche » était le maitre mot pour ranimer la ferveur.

Sadia

Il avait subi une attaque d'aviation qui ratissait à Boussaâda. A sa mort, les soldats français le regardaient seulement de loin. Ils avaient peur de s'approcher du cadavre, car il avait ses yeux ouverts et son index fixé sur la gâchette. Ils ont fait venir Achour Aman Zegwaghene, qui a décollé à bord d'un hélicoptère d'assif Ath Aissi jusqu'à

Boussada, pour s'assurer de sa mort et l'identifier.

Des femmes déclamaient des poèmes sur sa mort :

- Ayathmathen elah elhed, reb aki jared, delmadh our ifechlara.
- Netef di rebi lewahed, se niges oulahed, ou naâbdara chakhsia,
- Ma d'Amirouche istechhed, yemut damjahed, aâfumtas al moulouka,
- Ilkhetva ynes yeqared, gulis inechded, itwesiyagh fe lkhawa,
- davrid n tunes igeqsed, siw ur yalim hed, almi yawdh ar busaada,
- Di ratissage ihesled, lemnaâ ulahed, nanas meden akw delvayâa,
- Les avions lah dacheded, lantir ikhetfed, techâal tmes di lqaa
- Koul akhabith yessawded, achour ilehqed, nanas akw dwina
- França di radio t hedred, tena randit ed, tighil tfuk Lgara,
- Lakin, nekwni n-naâtabed, awekhar ulahed, nekath ghaf Lhouria

- Wi vghan ljihad yazled, muhal ath nehsed, nkwni del jeneth y nevgha,

Avril 1959

Lors de la mort d'Amirouche j'étais encore à Paris. C'était une nouvelle bouleversante pour tout monde. Qu'ils soient pour ou contre les résistants, ou sa personne. C'est à cette période qu'ils ont commencé à m'envoyer des convocations pour le service militaire. J'ai tardé à répondre, et un jour un gendarme débarque chez moi tôt le matin. Je l'ai retenu en conversation un bon moment.

- Je ne reçois pas mes convocations, il doit y avoir une erreur sur l'adresse. Car je viendrais remplir mon devoir national avec joie.
- On ne va pas t'emmener si tu es comme ça, dans cette résidence précaire. Quand on aura besoin de toi, on viendra te chercher.

Il est revenu plusieurs fois me chercher, il ne m'a pas trouvé. Une fois il est entré dans le restaurant de l'hôtel, pour me chercher. Je mangeais un couscous et le bout de son manteau me touchait. Il demande au patron qui tenait le bar ;

- Je pense qu'il doit être encore dans sa chambre.

Un autre jour, je me dirigeais à mon travail, il arrivait sur le trottoir, vers ma résidence. Il m'a regardé, et a continué son chemin sans me reconnaitre.

Mercredi 29 avril 1959

Amr ou-Saâ

Il y avait eu une embuscade près d'Azzefoun tendue par les maquisards. A la fin de l'opération, ces derniers voulaient se replier, en traversant la route. Les soldats français les ont ciblés de l'autre côté avec des chars. Il y a eu beaucoup de martyrs.

Dans un esprit de vengeance, nous avons voulu attenter à cette compagnie. On a attendu l'acheminement de ravitaillement. On les connaissait, à cette caserne, ils se ravitaillaient chaque 10 jours, ils s'étaient déjà ravitaillés lundi, alors on a compté, pour les attendre le mercredi de la semaine suivante.

On ne doit pas rester longtemps, un jour, et le lendemain seulement. Si au 3ème jour on n'a pas de résultat, on doit décamper, pour avoir le temps s'il y a des renforts. Mais on touche notre but à chaque fois. On fait de même pour placer les mines.

Akli

Le matin du 29 avril 1959, la compagnie de Hamid tombe dans une embuscade tendue par ses frères maquisards, sur la route menant à Oulkhou, entre le village d'Ighil M'hend et la plage de Tazaghart.

Le but de cette embuscade était d'intercepter le convoi militaire qui avait l'habitude de ravitailler les camps d'Oulkhou et d'Ait Chaffa. Mais contre toute attente, c'est un convoi envoyé en éclaireur d'Aït Chaffa qui tombe dans l'embuscade.

Amr ou-Saâ

On a choisi un virage, pour que le camion tombe sur place et barre la route aux autres qui arrivent derrière. Et ceux-là ne nous voyaient pas pour nous tirer dessus. Les quelques premiers coups de feu sont tirés en dessous de la route. Ensuite la majorité des tireurs suivants se trouvait de l'autre côté.

Akli

Des les premiers coups de feu, la bataille s'engage mal pour les soldats d'occupation et les nombreux supplétifs qui les accompagnaient. Comme ses camarades, Hamid saute du camion qui le transportait, glisse le long d'une rigole et va se terrer parmi d'autres supplétifs couchés dans l'herbe, entre les buissons de bruyère. Certains d'entre eux étaient déjà morts, touchés dès les premières balles, d'autres seulement blessés. Mais Hamid ne cherche pas à riposter. Il se tenait à plat ventre, face contre terre, la mitraillette serrée contre sa poitrine, le doigt sur la gâchette. Il attendait sa fin, le cœur battant.

Le combat faisait rage et tournait en faveur des moudjahidine. Certains montent dans les camions et s'emparent des armes automatiques qu'ils s'empressèrent aussitôt d'emporter avec eux vers la montagne de Tigrine toute proche. Dans le feu de l'action, un jeune maquisard quitte la position au-dessus d'un talus où il se tenait embusqué et d'où il avait tiré ses premières rafales pour sauter dans le half-track dont il venait d'éliminer les occupants. Il dévisse la lourde mitrailleuse et saute dans le fossé chargé d'armes et de munitions qu'il venait d'arracher à l'ennemi. Mais, au moment où il allait remonter vers sa position dans le maquis, ses compagnons entendent une rafale qui venait on ne savait d'où, et voient Mohand Ourabah s'écrouler avec ses armes, le dos contre le talus, au milieu des herbes sauvages.

Amr ou-Saâ

Tous les camions ne sont pas rentrés dans l'embuscade, mais là où ils étaient ils n'avaient pas la possibilité de nous tirer dessus, et on leur avait placé des mines. Tous ceux qui sont rentrés dans l'embuscade ont été tués.

Une partie du convoi arrivait à un fleuve, dépourvu de pont. Un autre convoi approche de l'autre rive, et des soldats, dont la beaucoup de harkis, descendent des camions venus de la caserne, pour transporter les provisions. Ils traversaient, et avant qu'ils parviennent aux camions chargés, nous les avons frappés. Nous avons touché et tué beaucoup d'entre eux,

Akli

Les combats allaient cesser et Hamid profita d'un instant de répit pour lever la tête et regarder autour de lui. Mais les moudjahidine étaient encore là, l'œil vigilant selon la consigne qui leur avait été donnée, silencieux et méfiants, attendant le signal de décrocher. À ce moment précis, Hamid essaya de se mettre debout sa mitraillette entre les mains, prêt à tirer. Un maquisard, tout proche, le vit. Il le visa à la tête et tira presque à bout portant. Avant de tomber on l'entendit dire ces mots fatidiques restés dans la mémoire collective : « AAAAAh ! Yemma ! Mouthegha ghaf França ! (Ô mère ! Et dire que je meurs pour la France !) »... Le commandant, l'avait entendu, et siffla la fin des combats.

L'opération se solde par 35 morts parmi les soldats d'occupation et de 7 martyrs chez les maquisards, dont le sergent Mohand Ourabah d'Ighersafene, de la région de Bouzeguène.

Amr ou-Saâ

Quand il est tué, on n'avait pas encore cessé les rafales. On a récupérés 18 armes. Les blessés avaient pris la fuite. Un maquisard a pris la mitraillette d'un harki tué, et ses papiers, il tombe sur des photos de filles habillées en manteau blanc. C'étaient des infirmières. Il est avéré qu'elles travaillaient au sein de la SAS.

Finalement, il y avait un ratissage en dessous de nous, on ne la savait pas. Des hélicoptères bananes, qui transportent 40 personnes. Il y en avait entre 15 et 20 hélicos qui bouclaient la zone. Ils avaient appris qu'on faisait embuscade, et ont transféré le ratissage sur nous.

On commençait déjà à se replier dans un coin, plutôt protégé. Ils bombardaient, et nous on s'est caché derrière un rocher. On avait une pièce. On recevait des bombes, mais ils ne nous touchaient pas. Sauf que des soldats arrivaient pratiquement jusqu'à nous, et on ne les entendait pas. C'est quand il leur restait près de 60 m de nous qu'on l'a su. Puis on est sorti, on allait monter une petite crête qui se termine par un plat.

Au dessus de nous, passait une tranchée pare-feu, qui remontait une deuxième crête. Finalement elle était occupée par un grand nombre de soldats. Ceux qui nous suivaient 150m derrière, nous avaient vus. J'ai aperçu un soldat qui nous montrait du doigt à son camarade, mais ils ne nous ont pas tiré-dessus. C'est par la suite qu'on a compris, qu'ils avaient peur de toucher leurs camarades.

Un officier a passé un appel, le téléphone faisait beaucoup de bruit, on a su qu'il y avait des soldats devant nous. On allait tourner à droite. Si on avait continué, ils nous auraient tués, sans qu'on puisse les atteindre. Eux, ils étaient cachés et camouflés, et nous étions exposés.

Nous sommes restés sur place, dans une broussaille entourée de pierre. Finalement les soldats sont passés derrière nous, en dessous, sans chercher à nous atteindre, C'était comme s'ils nous avaient pas vus. C'était déjà le soir. Nous avons pu nous replier tranquillement.

Depuis ce jour, il n'y avait plus de harki dans le secteur. Ils ont compris qu'ils seraient toujours exposés les premiers. Nous avons enterré Mohand Ourabah juste en dessous de la route, près du lieu où il est tombé.

Sadia

A Ath Rehouna, j'étais chez un certain Moh n-Hend était le frère de na-feta, un moravide. Il avait quatre filles et un garçon, Rahma, Fadma, ... ce n'était pas une maison de refuge. J'étais dans une famille et personne d'autre ne me connaissait. Il y avait un abri à Ath Hend wali, près de la mer. Même lorsqu'il y avait des ratissages, il n y

avait pas de risque de dénonciation.   Si-
Hend ou-Moh m'avait laissé le choix ;

- Si tu veux rejoindre l'armée, tu seras
  payée 1000 franc par mois. Mais si un
  maquisard se rallie au français, il va te
  dénoncer sans aucune hésitation. Ici, je
  te donnerai 1000 franc par mois, et tu
  es protégée.

Paris mai 1959

Ils ont fini par m'arrêter dans un contrôle
de routine et j'ai été jeté dans une cellule.
Après la purge de la peine, ils m'ont amené à
la caserne pour accomplir le service militaire.

Je rentre en prison, et je n'y trouve que
des français. Aucun algérien ou autre ethnie.
Ils étaient tous déserteurs comme moi. Je
leur offre le paquet de cigarettes. Ils en
allumaient une seule à la fois pour tous, en
fumaient une furtivement, chacun à son tour,
et l'éteignait pour plus tard. A mon tour, j'ai
dit, moi une prise de chique me suffit pour un
bon moment. C'était de bons camarades. Un
jour, j'ai écrit une lettre pour un français,

camarade de prison, pour ses parents. Il ne savait pas écrire.

J'étais en permission un jour. Je suis allé dans le bistrot d'un certain Mohand Wamar d'Iajmad, ami de Zi-Mohand. Il ne m'a pas donné un sou. Je suis allé là où travaillait Zi-Mohand, le français qui y travaillait, a vu mon uniforme, il a su que j'étais un appelé, alors il m'a donné de l'argent sans hésiter.

Je ne suis pas retourné à temps à la caserne. Je suis devenu déserteur. Je me suis fait arrêter de nouveau. Dans la journée je m'entrainais avec tous les appelés et le soir je retournais en cellule.

Oumira

Ainsi, dès son arrivée au PC de la Wilaya III à Bounaâmane, vers la fin mars 1959, Abderrahmane ou-Mira, dont la promotion au grade de colonel reste controversée, condamne l'usage de la torture et décide de libérer tous les combattants injustement poursuivis dans cette affaire d'intoxication et de manipulation des services spéciaux de l'armée française, sous la houlette du colonel Godart et du capitaine Léger.

Il libère les prisonniers français, civils et militaires, au nom de la grandeur et de la justesse de la lutte de libération nationale. Il aurait avoué au commandant Hmimi, qu'il regrettait de n'avoir pas rencontré le colonel Amirouche en cours de route, pour le sermonner, à cause de cette catastrophe.

Avant novembre 1959

Oumira a fait une bonne chose en libérant les condamnés après la mort d'Amirouche. Mais il a menacé d'épuration les officiers. Il y a eu dissidence des commandants. C'était le complot des officiers libres, dont Moh Ouali timerzuga.

Mohand ou-Lhaj, lui, utilisait l'argent pour récupérer les officiers dissidents. Ils ont fini par revenir sous la direction à la mort d'Oumira. Les gens de Bejaïa ne le citent pas beaucoup comme grand chef.

Il se chamaillait parfois avec Amirouche au maquis lorsqu'ils étaient commandants. Oumira traitait Amirouche de marchand de tapis, et l'autre lui répondait « *miss tadjat* ». Les maquisards n'aimaient pas leurs querelles, mais ça n'allait pas plus loin, car ils se connaissaient déjà depuis Paris. Ils se sont connus à Aubervilliers, Oumira avait un café. Oumira était un vrai baroudeur, féroce au combat, et il ne craignait pas l'ennemi.

Été 1959

Yiwen ikerzits, yiwen isrewtits, wayed ijemîits s'akoufi.

Avant la fin de l'opération Jumelles, les goumiers circulaient librement à Alger, il n'y avait plus de maquisards pour les atteindre. La direction de la révolution avait appelé ses éléments à se préserver et ne tirer sur les soldats que s'ils sont sur le point d'être arrêtés, ou s'ils n'ont plus le choix. Il fallait qu'ils se maintiennent jusqu'à ce qu'il y ait moyen de reconstituer les unités pour la reprise des combats.

Tahar, un jour, accompagné d'un soldat français, qui devait être son chef, rend visite à son père sur son lieu de travail à sa boutique d'el Marsa à Alger.

- Lui c'est mon père, il cotise encore aux moudjahidines !
- Celui-là qui te parle comme ça, c'est en 1945 qu'il a commencé à dilapider les recettes de ma boutique. Il versait tout l'argent au parti. Tout ce qu'il te dit est mensonge. C'est lui qui nous a mis en faillite.

Moh belhaj parlait français mieux que Tahar, il avait fait des études, alors Tahar ne savait plus quoi répondre...et ils sont repartis sans inquiéter davantage Moh Belhaj.

Amr ou Saâ - Aout 1959

Si-Ahmed Dahoumane était avec nous dans le même secteur. A la fin d'été de l'année 1959, les soldats faisaient ratissage à Cheurfa n-Bahloul. Du côté d'Oued Sebaou, au lieu dit Irghan, un petit hameau, où il y avait seulement quelques petites maisons. C'est une plaine, en dessous de Cheurfa, près de la rive nord du fleuve.

Les soldats savaient que les maquisards étaient habitués de la zone, car il n'y avait pas de caserne dans les alentours. Si Ahmed se dirigeait justement à ce hameau, pour voir sa mère, c'était comme une résidence secondaire.

Sadia

Dans cette demeure maison où se réfugiait la mère de Si-Ahmed acharfiw, un groupe de Harkis décide de passer la nuit, sans rien savoir sur le propriétaire. Ils ne l'attendaient pas spécialement. Ils faisaient de même à Igherbiene, lorsqu'ils venaient ratisser ou perquisitionner. Ils passaient la nuit dans la maison net Berbert. Un endroit à l'écart du village, proche du maquis. Car c'était plus facile de s'y protéger et de se sauver en cas d'incursion nocturne.

Fin d'Eté 1959

Si-Ahmed acharfiw était avec Arezki tawint dans le secteur d'Azazga. Il était parti en permission, et rentre chez-lui, pour aller voir sa mère. il faisait nuit. Avant d'arriver, il entend un bruit de pas et de conversation, alors il s'arrête.

Il a eu le temps d'entendre quelqu'un dire ;

- Laissez-le, on va le prendre vivant. Je n'ai pas besoin d'arme face à lui, je vais l'attraper avec mes mains.

L'homme était de garde, il l'interpelle ;

- Viens, viens, ce sont tes frères ici.

Ne voyant rien, Si-Ahmed cible dans la direction de la voix, et tire. Le maquisard s'éclipse aussitôt. Les autres harkis accourent et font feu, mais l'autre est déjà très loin. Il revient et annonce à son camarade Arezki Tawint ;

- Je dois avoir tué quelqu'un, mais j'ignore s'il s'agit d'un maquisard ou d'un goumier. Mais en tout cas je l'ai touché sérieusement.

Le lendemain, les gens apprennent que Tahar Moh Belhaj avait été tué dans la nuit par le propriétaire de la maison où il était de garde.

Angoulême été 1959

Dans la caserne à Angoulême, j'ai été repéré comme bon tireur. J'avais entre les mains le fusil-mitrailleur MAC 24, je visais, je tirais. Lorsque la balle tombait trop haut, je baissais un peu le canon, lorsque je la trouvais trop basse, je remontais la mire. J'ai fini par toucher le milieu de la cible.

J'allais être affecté à Ain Temouchent, comme soldat appelé, en fin d'été 1959. Ça aurait été un moyen de m'échapper pour rejoindre le maquis.

Mohand Igherviene

Nous avons poursuivi notre chemin, Batna, Khenchela, Tebessa, Souk Ahras, Laâouinet, Lakbari, Zarouria…, jusqu'à la frontière tunisienne où nous nous sommes retrouvés à trois bataillons des Wilayas II, III et IV.

A notre retour à Batna, Mustapha Bennoui, chef de la Kasma, ordonne aux Kabyles de regagner la Wilaya III, en nous précisant que celle-ci est en train d'être décimée par l'opération Jumelles. En arrivant à Sétif, nous perdons 32 maquisards de la section de Mohand Ou-Ramdane, brûlés au napalm, dont il ne restera que celui-ci et Moh Lazayev de Tigzirt.

Amr ou-Saâ

Durant l'été dernier, Amar ou-Saâ avait participé au déplacement vers la Tunisie. Avec d'autres combattants, le jeune adjudant de l'ALN a campé sur place.

Nous étions trois sections. La première était à Annaba, la deuxième, la notre, était à Skikda, la troisième campait à Jijel. La première section a perdu tout un groupe dans les accrochages avec l'ennemi. Après notre retour en Kabylie, la terrible opération Jumelles tirait presque à sa fin. Nous avons trouvé la wilaya du constantinois exsangue. Pas de liaison, pas d'hommes, pas d'armes. Ce sont les combattants qui étaient de retour de la wilaya 2 et de Tunisie qui ont restructuré la wilaya III.

A l'apogée de la guerre les soldats se durcissent même avec les gamins, surtout les bergers. Ils les suspectent d'être des indicateurs pour les maquisards. Ils les surnomment les choufs. Il leur était déconseillé de s'éloigner du groupe. Les filles étaient chargées du pâturage. Si-Moh n'Mhend G-Yahia a été tabassé par des soldats, alors qu'il faisait du pâturage à Tizi T-gawawt avec un cousin, seulement parce qu'il avait prévenu ce dernier de la venue de soldats arrivés alors à Alma ghozifen.

Si-Moh a néanmoins pris plaisir, peu de temps après, à regarder un soldat qui pleurait de douleur, criant « maman », après avoir essayé de manger des figues de barbarie, dans le cactus d'Agouni près d'Awin el-Haj. Des faisceaux de dards lui ravageaient l'intérieur de sa bouche.

Slimane Mi Aout 1959

Lorsque nous étions à Azaghar, Moh Saïd Namar, était l'un des deux maquisards qui prenaient des nouvelles de nous. L'autre c'était Zi-Moh El Haj.

Nous avons passé un ramadan à azaghar. L'aïd il n'y en avait pas. Nous sommes restés plus d'un an. J'avais l'habitude de récupérer les bois amassés par le fleuve, pour cuisiner avec. Je devenais complètement noir en suie.

A notre retour en 1959, en été, j'étais déjà un bon adolescent, j'aurais été facilement repéré. Alors je suis parti à Oran.

Dahvia Aout 1959

Nous sommes partis vers azaghar au printemps, nous avons passé un été, un hiver, un printemps et et nous sommes revenus à la fin de l'été suivant.

Nous étions à Tamda, dans la maison de Saïd n-hend. Sa femme c'était Fadma tamazarits, et le frère de celle-là c'est Salah el mazari, c'était un membre de la campagnie du groupe de choc. Un certain si-Mhend el-arabi est venu nous informer. « Tahar est mort ».

Les maquisards nous ont évacués à ath cheikh, ensuite à Izarazen, où nous sommes reçus chez Fatima ou-rezki, la sœur de zi-Moh ourezki n'saidh Ouali. Nous-y avons passé la nuit. Le lendemain, lorsqu'il n'y avait plus de soldats, nous avons cheminé par Ibazizen, Tawint, Ibdache, puis nous sommes rentrés au village par le chemin de bouakacha.

C'était un temps d'été. Plutôt vers la fin. Il y avait encore des gens dehors qui faisaient la récolte. C'était vers la fin de la période. A notre retour d'Azaghar, nous nous sommes installés à la maison du cheikh, à Tikoul, pour quelques semaines. Notre maison avait été détruite par Tahar Moh Belhaj. Mon père faisait les démarches pour joindre Moh ourezki.

Fin 1959

En automne 1959, six mois après son mariage, Mokrane Bouksil réapparait. Il rentre à la maison complètement mouillé, il pleuvait sans arrêt, il faisait froid, pour se reposer, et repartir le lendemain. Il retrouve Tassadit. Et repart au petit matin.

Hadj Mohand-Saïd Mansour

Tachivount 8 octobre 1959

Boudekhane c'est mon nom de guerre. Je suis né en 1926, à Taboudoucht. Comme militant, j'étais sous la responsabilité de Mohand n'ourouji Tighilt Ferhat, jusqu'à l'année 1953, avant d'émigrer à Boufarik pour travailler. Avant le 8 octobre 1959, j'étais à Aït Aïssa Mimoun près d'Ouaguenoun.

La veille, j'avais ordre de rejoindre Iguer Bouirane près de Fréha, afin de prendre part à une réunion d'urgence pour laquelle nous devions établir un procès verbal. Nous n'avions terminé qu'à 4h du matin. Nous avions alors remis le rapport pour être caché à Tikherbine, dans la maison d'Ali Ouramdane. La sortie sur des chevaux, des éléments du Groupement mobile de protection rurale de l'armée coloniale, basé au village Kahra nous a surpris, ils circulaient un peu partout, à Timizart, Souk El hed, Kahra...

Ainsi, l'abri où était dissimulé le document a été découvert. L'on a appris ensuite que c'était à cause d'un poste radio "oublié" en marche. Un maquisard qui refusait de sortir de l'abri avait d'ailleurs été tué, et ainsi, les militaires du Gmpr ont découvert le PV, sur lequel les noms des participants n'étaient pas portés. Seules les fonctions étaient mentionnées ; aspirant de la région 3, adjudants des secteurs ; 1 et 2, Cheikh des habous....

C'est pourquoi les français ont compris qu'il s'agissait d'une rencontre de l'encadrement, et ils ont lancé aussitôt une opération. J'étais alors aspirant et commissaire politique. La Wilaya III en cette période, était très vulnérable avec l'affaire de la Bleuite en 1958, qui a installé une méfiance insoutenable dans les rangs des maquisards et a entraîné la perte de nombreux cadres...

La mort d'Amirouche, principal organisateur de la Wilaya, a été encore un autre drame. A son départ pour Tunis, Si Amirouche avait laissé comme responsable à la tête de la Wilaya, le commandant Akli Mohand Oulhadj. Et les directives du Congrès de la Soummam indiquaient qu'en cas d'absence d'un cadre de la Révolution, celui qui le remplace doit être son adjoint direct, et c'était Mohand Oulhadj dans le cas d'Amirouche. Mais avec l'arrivée de Si Abderrahmane Ou-Mira, des frictions ont commencé.

En plus d'un vide en encadrement, les maquisards souffraient de l'absence d'armement, de munitions, de nourriture... arrive encore le cas d'un moudjahid, Si Allaoua, qui procéda, de son propre chef, à un rassemblement de maquisards pour lancer ce qui est appelé alors "Mouvement des officiers libres". Le drame s'est accentué avec la perte de prestigieux cadres durant l'opération Jumelles en juillet 1959, à l'image du capitaine Si-Abdellah Moghni en août et Si-Amar El-Bass en septembre. Ils étaient de véritables piliers dans la Wilaya III. Alors à la réunion d'Iguer Bouirane, Nous avions chargé Si-Habachi d'aller voir Si-Mohand Oulhadj.

Il a pris un groupe de combattants parmi la section qui assurait la protection de la "réunion". Au retour de Si- Habachi à Fréha, le jour était levé, donc il ne pouvait traverser la zone, quasiment nue, pour nous rejoindre, sans être repéré. Il nous a envoyé deux de ses éléments pour nous remettre une lettre signée de Mohand Oulhadj avec le cachet de la Wilaya III. Dans le document, il est fait un tour d'horizon de la Révolution, avant de signifier que chacun est responsable dans la zone où il lutte. Nous nous sommes donc réunis en débattant toute la nuit. Au petit matin, les militaires français débutaient déjà leur opération.

Au début, on voyait que le nombre de soldats en mouvement ne dépassait pas une compagnie. Nos deux groupes de protection étaient, l'un à Adrar et l'autre à Iguer Bouirane. Aussitôt, un Sikorsky, hélicoptère à cabine en verre, commençait à survoler la zone d'Achrouf Medjber   près d'Adrar nat Kodéa. Les maquisards s'y trouvant, surpris, pénètrent dans la forêt adjacente. Ainsi, les militaires à bord de l'hélico les ayant repérés ont aussitôt lancé des grenades fumigènes autour du site les abritant. Le groupe de la petite forêt d'Iguer Bouirane quitte les lieux pour nous retrouver au hameau d'Imsissen. Le seul lieu de repli était la colline boisée de Tachivount.

Entre-temps, les militaires français avançaient de tous les côtés. Ils savaient qu'il y avait un "mouvement rebelle" dans la zone, mais ils ignoraient où nous étions exactement. En arrivant à cet endroit, une section de militaires s'est dirigée vers la crête se trouvant au-dessus du village Ichariouene, tout près, une autre rejoint Tachivount, tandis que la 3e section allait atteindre le lieudit Ouantadja. Notre groupe ne pouvait même pas voir la section qui passait derrière nous. Et le premier à tirer, c'était Boudjema Ouvata, qui voyait un soldat face à lui.

C'est là que les maquisards se sont mis à tirer sur tout militaire à portée de fusil, sachant qu'il n'y avait pas, devant l'impressionnant encerclement, la moindre issue pour éviter l'affrontement. La section que nous avions attaquée a été anéantie et nous avions récupéré beaucoup d'armes, dont une pièce, "la Robust". La bataille avait commencé vers 10h30 pour durer jusqu'à 18h environs. Pendant ce temps, ni l'aviation ni l'artillerie lourde ne sont intervenues, car il y avait une imbrication entre les deux côtés, ALN et soldats français.

L'état major français ne pouvait user de cet armement, ne pouvant distinguer les cibles, d'autant que durant de longs moments, nous utilisions des armes automatiques récupérées sur l'ennemi. En fin d'après-midi, personne ne pouvait s'approcher des lieux, alors que nos compagnons étaient tous tombés, hormis les cinq blessés que nous étions. Ensuite, les militaires, pour avancer vers nous, ont ramené des civils comme bouclier.

Chaque soldat se couvrait derrière un homme ou une femme. Les cinq survivants, gravement blessés sont Si Ahmed Abdellaoui, Tahar Ibouchoukene, Arezki Taouint, Saïd Lounes Ouguenoun et moi-même. Il y avait un muret en pierres sèches. Les chefs militaires ont fait leur bilan. Il y avait 30 soldats tués.

Après 18h environs, les tirs ont cessé et l'armée française commençait la récupération de ses morts et ses blessés. La besogne durera jusqu'à 23h environs sous la lumière de fusées qui éclairaient toute la zone. Le lendemain, vers midi, on nous a pris par hélicoptère, Arezki Taouint et moi, puis l'hélico s'est encore posé instantanément et on a fait monter à bord les autres blessés, Tahar, Saïd et Si Ahmed. Ils nous ont pris au camp militaire de Lakul Oufella près d'Aghribs.

Là, on nous balançait, depuis l'hélico en équilibre au-dessus du sol à 2 ou 3 m, tels des sacs de pommes de terre. Tahar a été jeté de beaucoup plus haut dans l'intention d'en finir. Les soldats se regroupaient autour de nous pour donner des coups de pied sur nos corps inertes, avant de nous enfermer dans une cave où la puanteur était insupportable.

Au matin, on nous a ramenés encore, Arezki et moi, sur les lieux de la bataille où nous trouvons les corps alignés, de nos compagnons tués. On nous demande de les identifier. Puis dans l'après-midi, on m'a emmené, seul, à Tizi Ouzou, les autres ont été emmenés vers Azazga. A la fin de l'opération, vers 18h les corps ont été enterrés. Il y avait 22 maquisards et 2 civils, Mouh Ou-Mouh Agoun et Saïd Ath Khodja.

Nous sommes restés ainsi jusqu'au jour où nous nous sommes rencontrés tous à la prison de Tizi Ouzou. Les maquisards tombés, dont je me souviens, étaient l'aspirant Si Abderrahmane Arros, Si-Ali Ouahmed Oudaï, adjudant de compagnie, Rabah Abba, un autre adjudant qui venait juste de revenir de Tunis. Il y avait Boudjema Ouvata, Amar Ghezaz, Saïd Aboutit, Cheikh Ouali, Hand Oumechi, Saïd Tazaïert de Tifra, Medjiba Ahmed, un infirmier d'Aït Aïssi de Yakouren, Belaïd Ouakouak et Aït Ameur...

Parmi tous ces jeunes, hormis Si-Ahmed et Si-Tahar, qui avaient 30 ans ou plus, tous les autres en avaient moins. Certains d'entre eux étaient mariés, d'autres non. Lors de notre jugement, un avocat nous a été affecté d'office. C'était un militaire appelé Lieutenant Bazoli.

Celui-ci dira alors au président du tribunal : "M. le président, tout ce que je regrette, c'est de ne pas avoir eu ces garçons de notre côté, voyez-vous, ils sont un groupe restreint, mais ils ont tenu tête à une armée régulière". Je ne connaissais pas à l'époque la différence entre "une armée régulière et une non régulière".

Tahar Ibouchoukène jeté du haut de l'hélicoptère, est tombé sur une broussaille de ronce. Il a survécu et repris le maquis.

Angoulême - Octobre 1959

Au bout de 4 mois d'entrainement à Angoulême, je suis affecté à Timouchent, comme un bon nombre de mes camarades.

Ils avaient tous permission d'aller voir leurs familles avant de partir au front, sauf moi.

- tu vas déserter, me répond l'adjudant,
- C'est injuste, il faut que je voie le colonel,

On m'a emmené voir le colonel. Garde à vue, et j'explique,

- C'est une erreur de ma part, j'avais trouvé mon oncle très malade, il était en hôpital psychiatrique, j'ai alors du travailler pour le soutenir financièrement. Mais moi je veux aller combattre !
- Donnez-lui une permission, ordonna le colonel.

Je suis parti récupérer mes affaires et j'ai demandé qu'on me donne mon costume bleu,

- Car je risque sinon de croiser des fellagas, je pourrais être reconnu comme soldat, argumenté-je.
- Non, tu ne sortiras pas. me rétorque l'adjudant,
- Voila ma permission....

Il me rend mes effets personnels et me donne le costume, et je quitte la caserne. Je quitte la caserne d'Angoulême, et remonte à Paris. Je reprends ma vie de déserteur.

Après mes deux désertions de l'armée, j'étais condamné par contumace. Je commence à trouver la vie de fugitif de plus en plus intenable en France. Je rencontre les agents de liaisons, qui me promettaient un passeur pour m'aider à traverser la frontière. Ils avaient déjà trop tardé.

Si j'avais attendu, je me serais fait arrêter et jeter en prison. Un ami m'a conseillé de ne plus attendre qu'on me fasse les papiers ou qu'on vienne me chercher pour passer, sinon je finirais par attraper une maladie en cellule. Ce n'était pas une prison. Il n y avait pas de couverture, ni rien sur les planches du lit.

Mon chef voulait me placer comme contrôleur des armes ;

- Oui mais pour être contrôleur des armes, il me faudra des papiers !
- Les papiers ça coute cher. Pour t'établir une fausse carte d'identité marocaine ou tunisienne, ce n'est pas évident, ça prendra du temps.

J'ai pu croiser finalement un autre militant, qui me conseilla :

- Si tu veux aller en Allemagne, je t'indiquerai les marches à suivre.
- Oui, bien sur.

- Tu vas à la gare de l'est, tu prends le train direction Forbach. Quand tu arriveras à Metz, le train s'arrêtera une heure. Il y a toujours des gendarmes qui viennent contrôler. S'ils montent par une porte, tu descends par l'autre porte.

Je suis parti vers l'est et je n'ai vu aucun des gens que je connaissais à Paris, pas même Zi Mohand, ni Zi-Amar, qui habitaient rue Bissons du 20e arrondissement. C'était un couvre feu, il y avait des contrôles partout. J'aurais été arrêté.

En sortant de la gare, j'entendais des gens qui parlaient Italien, Espagnol, et puis Arabe. Je suis alors allé voir les deux qui parlaient arabe.

- Vous êtes arabes ?
- Oui,
- Vous êtes algériens ?
- Oui,
- Emmenez-moi au bistrot de Hamid, le passeur pour Sarrebruck.

- Qu'est ce que tu as ?
- J'ai déserté l'armée.

Nous sommes entrés dans un bistrot, et j'ai demandé à barman,

- C'est toi Hamid ?

Son visage devient blême. Dans la panique il plonge sa main dans le terroir. Les deux hommes étaient mal à l'aise également. Ils m'invitent à boire et me préviennent avant de repartir

- Ce soir on revient te voir.
- Merci, vous m'avez accompagné jusqu'ici, vous m'avez déjà rendu un grand service.

Le contact entre eux et Hamid était plutôt froid. J'ai compris qu'ils n'étaient pas du FLN. C'étaient des tortionnaires messalistes. Lui il était originaire d'Akbou. Après leur départ, Hamid m'interroge ;

- Qu'est ce qui t'amène ici ?
- J'ai déserté l'armée

- Mais qui sont ces individus qui t'ont ramené ici ?
- Ces individus m'ont rendu service. Ils m'ont accompagné jusqu'à l'endroit que je cherchais.
- Mais ce sont des messalistes !
- S'ils sont messalistes, alors faites ce que nous faisons à Paris.
- Et comment faites-vous à paris ?
- Nous occupons des hôtels. Les messalistes qui veulent bien nous rejoindre, peuvent rester avec nous et les autres doivent quitter

Un moment plus tard un individu rentre. Je l'aborde ;

- Je cherche Moustique, le passeur pour Sarrebruck
- Moustique aujourd'hui est parti à l'Est.

C'était-lui Moustique, mais ce n'est pas lui qui me l'a dit. Un autre homme pénètre dans le bistrot, un kabyle présentement. L'individu m'apostrophe, très arrogant ;

- Dieu de ton Dieu. Où que se cache ton Dieu, il va se montrer avant ce soir.

- C'est ce que j'attends

Ils commencent à fermer les fenêtres. Le patron doit bientôt nous mettre dehors. L'inconnu se pointe de nouveau au bar pour payer sa note. Je l'accoste encore,

- C'est le soir !
- Oui, qu'est ce que tu veux ?
- Je veux que mon Dieu se manifeste.
- Par là où passera mon Dieu, ton Dieu passera.
- …..rire
- Ramène ta valise, Dieu de ton Dieu.

Je prends alors la valise et je mets les pieds dehors, …On marche un peu, et on entre dans un autre bistrot. Il s'assoit et se met à boire, et se tourne vers moi ;

- C'est ici que je réside.

Nous sommes sortis de nouveau. Un trolley nous emmène jusqu'à la frontière. Il avait mis un costume pour cacher sa chemise blanche, pour traverser une forêt. Il me prévient ;

- Attention au bruit avec ta valise dans les broussailles. Si jamais tu te fais attraper, ne dis rien sur moi. Mais moi, ne t'inquiète pas, j'ai un laissez-passer.
- Nous marchons une bonne partie de la nuit, puis il s'arrête.

Voila, nous sommes maintenant en terre Allemande. Nous nous sommes rendus dans un hôtel, sans fenêtres. C'était un logis bon marché, à Sarrebruck.

J'avais payé pour deux nuits et mais j'ai quitté le lendemain. J'étais en train de chercher de l'information, je demandais Bonn, et un allemand m'a entendu. On était dans le même wagon. Il ne connaissait pas un mot de français et moi pas un mot d'allemand.

Jusqu'à ce nous soyons arrivés au lieu de la correspondance, il m'a fait signe de la main pour descendre, je suis descendu, et peu de temps après j'ai vu un train marqué Bonn qui rentrait en gare.

Après une nuit dans une maison d'hôte, nous sommes allés dans un hôtel. J'y ai trouvé de grands militants du parti. Dr.Lamine Debaghine, Lehouel Hocine et le frère de Yassef Saadi entre autres.

A Bonn on a essayé d'aller en Tunisie. On avait encore la bonne volonté, et l'esprit positif. Pourvu qu'on ait l'occasion de combattre, mourir ou vivre comme maquisards. Un homme de larbaa nous a expliqué ;

- Si vous partez, vous allez mourir sur le chemin, vous ne parviendrez jamais. Même l'armement vous le perdrez. Restez ici, vous travaillez, vous cotisez.

Ils nous ont affectés à nos postes de travail. Le FLN a fait une bonne organisation. On rentrait dans une cantine, et le plat arrivait jusqu'à nous. Le soir, le car nous emmenait du lieu de résidence vers l'usine. En usine chacun est devant une machine. Ils étaient beaucoup mieux qu'en France. Sur la chaine de production, c'est la machine qui te guide pour accomplir les tâches. Des qu'on terminait, le car nous attendait devant la porte.

Il y avait une école. On apprenait la langue. Un professeur de larbaa nous enseignait le français. Une allemande connaissait le français, elle nous enseignait l'allemand. Il y a avait un syndicat du FLN, le chef était un bon orateur. Il représentait les émigrés. Il a intégré le syndicat des ouvriers Allemands. Ils avaient fait deux guerres, ils savaient très bien ce qu'est la vie d'un réfugié.

Sadia - fin Octobre 1959

Moi et Nana on faisait la cueillette des olives et les soldats descendaient de Nador, ils passaient, ils ne nous embêtaient jamais. Car le capitaine de Nador faisait confiance aux habitants de Houbelli. Il a envoyé pour vérifier que je n'étais pas là. Il a refusé que les soldats d'Azazga débarquent chez lui.

Avant la fin des olives, si-Hemd ou-Moh m'a envoyé un message, …

- Le calvaire est fini pour toi. Tahar est mort.

Je suis revenue au village quelques jours plus tard. Après la mort de Tahar, de nouveaux soldats sont arrivés dans le village. Ils ne semblaient pas connaitre la région. Ils étaient différents, leurs ceintures, leurs rangers, leurs vêtements,... mais ils ne faisaient pas de mal aux gens.

Novembre 1959

Moh ou-rezki s'occupe d'une épicerie près de la caserne d'Ibdache. L'ALN se résout à reprendre liaison avec lui par le biais de Belkacem, son frère cadet.

En automne 1959, l'esprit Oumira se propage dans les maquis Kabyles, même après sa mort en ce début Novembre. Rabah Moh ou-Saïdh et son frère Mohand, rentrent de Larba Nath Irathen avec un message pour Moh Ourezki. Ecrit sur un bout de papier, en substance, « ...Il n'y a plus de sévérité, tu ne seras pas jugé, le complot des bleus est fini... ». Le bout de papier, plié, est réduit à la taille d'un angle. Kertsouma ou-Messis l'introduit dans ses cheveux, et se rend à la caserne d'ath Moussa pour voir son fils.

Dahvia - 22 Novembre 1959

Pendant plusieurs jours, la mère de Moh ourezki faisait passer des médicaments et des munitions. La nuit venue, Moh Elhaj, Rabah Moh ou-Saïdh et un complice qui faisait la sentinelle, sont au rendez-vous. Ils font passer d'abord sa femme, non sans peine, à cause de son surpoids. Ils l'éloignent ensuite sur le dos d'un mulet. Puis ses enfants suivent, et Moh ourzeki sort en dernier, emportant avec lui armes et munitions. Ils ont tout porté sur cinq chevaux.

Sadia

Arrivés à la maison, Moh ourezki rentre avec Rabah, et l'épouse de ce dernier les regarde, figée, sans mot dire. Un court instant, et une marre de sang par terre les prévient que l'épouse venait de subir une fausse couche. En les voyant, elle pensait que Rabah venait de rallier lui aussi les français.

A l'arrivée au poste, Moh Ourezki écrit une lettre à son supérieur de la caserne, `...je me suis fait kidnapper par des fellagas au cours de la nuit dernière...'. Depuis ce jour, lorsque les soldats perquisitionnent et cherchent après lui, ils restent bienveillants envers ses proches. Il est repris par l'ALN, mais loin du maquis. Astreint à la couture à Tala t-Gana chez son oncle Amessis, pour le compte de l'ALN. Il a lavé ainsi son honneur.

8 décembre 1959

Une maison dans le quartier Lhara n-Saidh Ouali, servait de refuge. Des maquisards y étaient rassemblés. Mon père y était, rentré du maquis avec eux. Dahbia n-Mhend s'y trouvait pour aider à cuisiner. Ma mère, s'était rendue à la veillée funéraire de Hlima Lkhowas. Elle devait y passer la nuit.

Mon père rentre au milieu de la nuit à la maison, et demande à manger chaud, il avait trop froid, et il était trempé. Je lui sers une soupe qu'il avale rapidement, puis demande une couverture. Il s'assoupit,...

Mhend ou-Slimane avait apporté des couvertures pour les transformer en kachabis pour l'hiver. Il possède une machine à coudre à la maison. Sa fille Dahvia les avait cousus.

Il rentre, il en essaie un kachabi, l'attache avec une ceinture et plaisante ;
- C'est comme ça que s'habillent les combattants marocains...

Sadia

Un moment plus tard, mon père se réveille en sursaut, il se lève, et s'en va pour retourner à Lhara n-Saidh-ouali, pour rejoindre les maquisards qui doivent retourner au maquis. A son arrivée, les maquisards étaient partis. Il revient alors à la maison. Je lui ouvre la porte,

- Pourquoi tu es revenu ?
- Ils étaient déjà partis, il fait noir, je ne pourrais pas retrouver le chemin dans ce brouillard. Je ne pourrais pas les rattraper.

Fatigué, il s'allonge sur le lit, sans vraiment trouver sommeil.

Dahvia

Tôt le matin, mon père me prévient,

- Aujourd'hui je n'irai pas au maquis, je vais me cacher dans les environs. Donne-moi de la galette sèche, je vais sortir pour aller à la maison de refuge.

Puis il est parti. Un moment plus tard il est revenu,

- Je vais me cacher dans l'abri du voisinage,…
- Il y a déjà Zi Abderrahmane,
- Alors je vais à l'abri d'ikejiwen

Ils avaient prévenu fadma Wali, s'il y a ratissage, tu tapes sur un tronc d'arbre, ou tu viens chercher de l'eau dans le puits. Quand elle a vu les soldats, elle est allée directement ouvrir la porte.

9 décembre 1959

Le matin, Mhend ou-Slimane rode dans le périmètre entre tavekart et ath Slimane, pour discuter avec Ravah Moh ou-Saidh entre autres. Puis il remonte avec Moh ourezki ou-yahia, qu'il entoure de son bras, posé sur son épaule, en vieux amis, empruntant le sentier d'Anar vers Ikejiwèn, derrière la propriété de Mhend g-Yahia. Il se dirige vers l'abri, habillé d'une veste militaire américaine.

Une brume couvre les alentours, et les guetteurs n'ont rien signalé. Les maquisards semblent être plutôt à l'aise dans leurs mouvements.

Sadia

Un petit moment plus tard et c'est déjà l'aurore. Très vite on commence à entendre le moteur des camions à la piste de Tamaright.

- Père, je crois que c'est un ratissage, il faut te cacher.

Mon père se lève et se presse vers la sortie ;

- Je vais surement mourir aujourd'hui...

Ma mère revient des funérailles et sur son chemin, elle passe récupérer Dahvia à la maison de refuge. A peine ma mère aperçoit mon père qu'elle explose de nerf et de panique ;

- C'est un ratissage ! Tu es encore là !? Va au moins loin d'ici, je ne veux pas qu'ils te tuent devant tes enfants. Tu vas les effrayer...!

Mon père est pendant un instant consterné par l'expression franche et osée de ma mère. La Maison de Zi-Amar avait une toiture effondrée. Il y avait du foin et du fumier à l'intérieur. La porte était fermée. J'ai alors creusé dans le foin jusqu'au fumier, puis j'ai encore creusé dans le fumier, jusqu'à ce que je sois tombé sur un doukan. Mon père passe par la toiture et s'introduit à l'intérieur du doukan. Je lui file un flacon d'huile d'olive pour éviter les désagréments de la poussière dans la gorge puis j'ai remis dessus du foin, seulement de quoi cacher la vue, afin d'éviter l'asphyxie.

La Lumière du jour nous dévoile davantage, suivie du bruit des avions et des hélicoptères, qui survolent la zone, entre Ighil et ath Moussa. Moh ou rezki n-Saidh Ouali frappe à la porte de l'abri et demande à ses camarades ;

- Laissez-moi rentrer, il y a ratissage.
- C'est complet, nous sommes déjà quatre... !

A l'intérieur de l'abri, se trouve Belkacem Ouacif, Rabah Moh ou-Saïdh, Moh ouali et Mhend ou-Slimane. Moh ourezki repart et laisse des traces de pataugeasses.

Les maquisards sont en position assise, l'abri est ténébreux, humide, et présente le risque d'une asphyxie certaine s'il est surchargé. L'expérience des six maquisards, retrouvés par les voisins, évanouis, dans un abri conçu pour deux personnes, est encore vive dans les esprits.

Témoins

Les soldats observent depuis Tamaright, stationnés entre la montée d'Imezlay et la fin la falaise, près du rocher ouzaya. Ils aperçoivent une femme en train de jeter des pierres sur l'abri, derrière le mausolée de Hend Agharbi. En haut de l'abri, il y avait des fèves de l'extérieur, et un plancher du côté intérieur du bâti. Près de quarante soldats, descendent vers ikejiwen. C'est déjà le milieu de la matinée.

Un appel est lancé dans le village pour que toutes les femmes sortent, et se regroupent. Une femme qui se retrouve seule un moment, attrape Fatima, et la pince au bras pour qu'elle pleure assez fort, et aucun soldat ne trouverait pertinent de l'embêter davantage. Les soldats détestent en général rentrer dans une maison kabyle, en hivers, souvent exsangue, et remplie de fumée, mais le plus agaçant pour eux, ce sont les pleurs des nourrissons.

Les soldats arrivent devant l'abri et commencent à spéculer sur les indices. Ils voient des traces qui finissent vers le cactus, en trajectoire sans issue. Ils commencent à crier ; la pioche, la pioche !
Moh ourezki ou-Yahia répond ;
- Je suis désolé, je n'ai pas de pioche, je viens seulement d'arriver d'Alger.

De l'intérieur, on entend des soldats qui parlent kabyle et français, ...puis leur voix s'éloigne. Belkacem ouacif n'a pas d'arme, seulement deux grenades sont attachées à la ceinture. Mhend ou-Slimane possède un revolver, mais sans réserve de munitions. Mhend se met d'accord avec ses camarades, que pour eux trois, il vaut mieux sortir.

- C'est inutile qu'on meure tous. Vous mettrez tout sur mon dos. Dites que je vous y avais entrainés là-dedans, et que vous n'en saviez rien.
Moi je vais essayer de sortir, si j'arrive à m'en sortir je partirai, sinon je mourrai.

Il détruit tous les documents. Mhend tire ses deux grenades, pour tenter de repousser les soldats. Au jet de la première grenade, les soldats avaient fui et reculé jusqu'à Anar, sans cesser de tirer en direction de l'abri.

Les femmes et les enfants assistent à la scène à partir d'Anar et Azniq teslent, depuis le début. Seule la maison des fils d'Arezki ou-Yahia, sans voisinage, réduit timidement le champ de vision.

Les munitions du revolver sont épuisées. Il essaie de désarmer un soldat. Il était entouré de soldats, ils ne voulaient pas le tuer. En se débattant avec lui pour arracher son arme de ses mains, un autre soldat lui tire par derrière avec une mitraillette, pointée à sa nuque vers le haut pour éviter de toucher son camarade. La moitié de son crane est arrachée. Mhend ou-Slimane est tombé près du cactus en dessous de la maison d'Ali Hend Wamar. Il est 14h.

Rabah tente de sortir. Il reçoit deux balles sur les jambes et retourne en se trainant à l'intérieur de l'abri ;
- J'ai les jambes cassées...

Dahvia

Ils l'avaient ramené sur un madrier. J'arrive sur place, je le vois, et je commence à dire « c'est mon père. Je le reconnais à ses doigts blessés ». Yema tamghart me prévient,

- Tais toi, je ne veux pas qu'ils t'entendent. J'ai déjà perdu Mahmoud, ensuite Mohand, maintenant Mhend...alors ne sois pas la suivante.

Les soldats sont partis, et ils avaient exigé ;

- Vous l'enterrez tout-de-suite, avant qu'on ne soit de retour.

Témoins

Ils sont venus chercher les civils, Moh-Saïd moh ou-Lhocine, pour prier son fils Belkacem de lever les mains et sortir. Les soldats frappent avec beaucoup de brutalité Moh ou-rezki ou-yahia. Tassadit Meziane ramasse les bouts de cervelle de son mari martyr, pour donner à son crane une apparence plus digne, en poussant des you-you.

Il était le seul à vouloir mourir. Il était fatigué, sa vue est diminuée par l'explosion

268

de la grenade à Ichekaven et deux doigts sont amputés.

La fatigue de l'âge et le calvaire du maquis, la faim...y étaient pour quelque chose également.

Son beau-fils Ahmed constatait déjà son état moral quelques mois plus tôt. « Il avait des regrets d'avoir impliqué Mohand dans cette guerre, dont la victoire était incertaine. Il avait perdu la raison de vivre après la mort de son fils».

Sadia

On a tous remarqué l'absence de panique et de stress sur le visage et le comportement d'un individu. Les gens ont commencé à s'interroger s'il n'était pas déjà passé de l'autre côté de la barricade. D'ailleurs un jour il a frappé la femme de Saïdh.

L'existence de preuves, n'est jamais reconnue publiquement. Les villageois avaient vu les soldats qui arrivaient de la caserne d'ath Moussa, mais pas les commandos de chasse, campés au rocher ouzaya, camouflés depuis quelques jours, répliquant la méthode des maquisards.

Après la mort de Zi-Mhend, je suis allé retirer le foin et mon père est sorti. Il est venu voir Zi-Mhend, lui lire la Chahada. Ensuite on a attendu, et des gens sont venus l'enterrer.

Fatima

Le corps de zi-Mhend, est ramené à takejout, traversant tamazirt Lwehch ouchahyay. Des goumiers les surveillaient, et l'un d'entre eux proférait des insanités indicibles en direction des familles ;

- Vos hommes aussi vont crever comme lui.

Un moment de recueillement est observé très furtivement, pressé par les soldats de finir. Moh Amechtoh s'est chargé de son enterrement. Yema Tamghart et sa fille Dahbia étaient présentes également. na-Tassadit Meziane était absente à l'enterrement. Le code protocolaire l'exigeait ainsi probablement.

Sadia
Après son enterrement, il commencé à tomber une pluie fine et la nuit menaçait déjà

de tout assombrir. J'ai accompagné mon père jusqu'à Tizi t-Gawawt. Il s'est assis sous un olivier, à attendre la nuit pour poursuivre son chemin vers le maquis, et m'a demandé de rentrer. Je suis revenue à la maison en courant.

Un petit moment plus tard, il voit des colombes s'envoler depuis l'eucalyptus, quelques arbres plus bas. Il regarde et voit trois soldats. Il de cache aussitôt. A mon arrivée à la maison, je trouve ma mère déjà effondrée de choc. Elle avait retrouvé ses esprits. En me voyant, elle commence à me crier péniblement,

- Vas-y, sauve-toi !

Mais les soldats ne quittent pas ikejiwen et ath Slimane. Ils décident de diner sur place. Ils réquisitionnent quelques maisons et abattent des têtes de bétails pour la grillade. Les femmes guettent de loin le spectacle, occupant les autres maisons vacantes.

Les plus jeunes femmes ont fui vers Tawint, pressées par les ainées, qui sont presqu'interloquées de constater la gentillesse des soldats, qui avaient l'air de profiter d'un festin de victoire. Je suis alors partie vers Tawint avec les autres femmes. Et sur le chemin, j'entendais « Abderrahmane s'est fait arrêter de nouveau ». Et moi je n'en savais encore rien sur la supposée deuxième perquisition. Fadma Tameziant commence à se plaindre, « *tekhdaâmagh i khali Abderrahmane* ».

En arrivant à Tawint, un des maquisards conseille aux jeunes femmes;
-    Il vaut mieux que vous retourniez, car votre fuite va empirer leur intention.
Nous y sommes restées. Nous avons passé la nuit dans la maison d'Arezki Tawint. Dans la nuit même, mon père, est allé voir na-Hlima à Houbelli, pour lui demander pardon pour toute la souffrance qu'elle avait endurée à cause de moi. Ensuite il a poursuivi son chemin vers le maquis.

Na-Hlima, elle, avait passé un mois de douleur atroces, elle n'arrivait pas à dormir sur son dos. Elle mettait des oreillers pour se suspendre dans le vide pour que son dos ne touche pas le lit.

10 décembre 1959

Dahvia

Le lendemain il y a eu de nouveau perquisition, et le lieutenant s'est avancé. Il parlait et un goumier traduisait ;

- Qui est madame Ait Slimane, la mère de cet homme-là ?
- Je suis sa mère, répond Yema tamghart
- Madame, c'est lui qui a voulu mourir. Nous, on ne tue pas des hommes comme ça.
- *A lkhiriw essaïd argaz*, réagit Yema tamghart après avoir lancé des youyous à sept reprises.

Sadia

Mon père marchait tout seul pendant trois jours et n'a rencontré personne. Il avait subi le froid, la peur, la faim et la nuit ...il est revenu à la maison, amaigri, fatigué et très malade.

On l'a gardé à la maison pendant une semaine pour le soigner. On a égorgé un bouc pour qu'il mange un peu. A peine il a repris ses forces, il est reparti au maquis.

Dahvia

Quand on a vu le ratissage, on a caché les kachabis dans l'abri de Sadia, situé entre notre maison et celle de zi-Amar. Des maquisards sont venus les chercher quelques jours plus tard.

Sadia - fin décembre 1959

Quelques jours plus tard, trois goumiers sont venus nous prévenir ;

- Si vous avez des trésors, il faut les retirer, car on a des appareils qui détectent tout. On va tout retrouver si jamais vous cachez quelque chose. Tous les abris seront découverts. Vous pouvez creuser, on ne va pas vous bombarder. On va vous évacuer juste après.

On a retiré un fût d'huile d'environs 300 litres dans le jardin. Nous sommes évacués à alma Bwaman. Ils avaient découvert le nombre de maquisards et d'agents de liaisons qu'il y avait dans le village. Ils avaient besoin de nous surveiller de plus près.

Dahvia

Seize jours après la mort de mon père, l'évacuation a commencé vers Alma bwaman. Mokrane était dans un abri, ils l'ont retrouvé. Il a tiré, et a blessé un lieutenant. Arrêté, emprisonné à souk el-hed, suspendu au plafond, par ses pieds.

Pour l'évacuation, les soldats d'ath Moussa ont prêté à Moh-Mokrane un mulet, pour le transport des bagages. Il était le plus âgé des garçons.

Janvier 1960

Un hélicoptère banane avait été abattu au dessus de la forêt d'Averan par un maquisard d'Iflissen, camarade d'Omar Tawint. Ce dernier est content de venir informer Belkacem n-Mhend,

- On a vengé ton père.

Wrida

L'évacuation a commencé, les soldats criaient : Alma baman, alma baman. Certains ont pris une planche, d'autre un bout de tuile, ou autre objets comme souvenir de la maison abandonnée. Alors na Malha marchait et déclamait quelques vers :

- *Ata youssad el askar, ayeqar ak nen vikwi*
- *Newkni nella dimjouhad, our n tsedou d ouroumi*
- *La ilah a ila lah, yiwth el muth igats rebi*
- *A tadart igherbien, lazem tug atefrou*
- *Adnawi laissez-passer, matchi dezoukh a ra n zoukh, dikhamen nagh idnets hudu*
- *Tin idezran akhamis, tzured jedis, amzun tusad seg veliou*

Les femmes répétaient en chœur. Na Malha nous racontait des histoires, des plaisanteries et nous faisait rire. Ça nous soustrayait à notre angoisse et notre tristesse.

Les civils du village non concernés directement par la guerre, sont regroupés près la caserne Ath Moussa. A Alma Bwaman, les familles des maquisards du village, sont maintenues sur place, pour partager leur maison avec les nouveaux arrivants. Timizart et ath Moussa étaient entourés de babelais.

D'autres femmes sont parties vers l'ouest. Joher n-Boukejir, Joher ou-Mokrane, Zahra ou-cheloud, toutes avaient comme seul tuteur Dahbia ou-bara.

Dahvia

Au bout de quelques jours de détention, un appelé arabe apporte son aide Mokrane pour s'évader de la caserne d'El Hed, et l'accompagne, pour rejoindre le maquis. Mokrane emporte avec lui un fusil Garand. On disait ;

- *Si mokrane jedis yekwa,*
- *Ifaghd ibwid el gara...*

Peu de temps après notre arrivée à Alma bwaman, les soldats nous ont rassemblés et un goumier traduisait ;

- Maintenant si-Amirouche et si-el-houes nous les avons tués. Vous allez dire à vos enfants et à vos hommes d'orienter les canons des fusils vers le sol, et qu'ils viennent les bras en l'air. C'est bon, la guerre est finie.

C'était comme ça qu'on a appris la mort d'Amirouche. On n'en savait rien jusque-là.

Hivers 1960

Mhend Mohand Wamar et Mohand n-Saïdh nous ont rendu visite. Ils ont demandé la main de Sadia pour Mhemed. On était à Alma bwaman. Il y avait Titem Tamsount, elle était notre voisine. Mhemed était orphelin. On l'appelait Mhemed bousfendji. Je n'ai pas connu sa mère. J'ai souvenir du décès de son père.

Sadia a accepté. Les parents n'avaient pas vraiment le dernier mot. L'autorité pour les mariages c'était les moudjahidine. Cheikh el-hibous a lu la Fatiha. Vava Abderrahmane était absent.

Sadia

A Alma Bwaman, Mhemed Mohand Namar avait demandé ma main auprès de ma mère. Elle avait accepté pratiquement sans mon avis. J'ai protesté ;

- Comment veux-tu que je l'épouse, il n'a même pas de maison !
- Personne n'a une maison ici. Mais à Igherbiene tout le monde en possède maison. Tu feras comme tout le monde.

Alors j'ai accepté sans trop insister.

Bounaâmane début 1960

Il a commencé à y avoir des ratissages approfondis à Bounaâmane. Un jour mon père était caché sous la broussaille et un soldat lui a marché dessus et a poursuivi son chemin. Il a du croire qu'il s'agissait un rocher ou tronc d'arbre.

Sadia

Zi-Ahmed avait envoyé une lettre pour que mon père le rejoigne à Mostaganem. Il est rentré du maquis. A son arrivée, il était très heureux pour mes fiançailles, car Mhemed était un maquisard. Zehra n-Mhend avait quant à elle, des vues sur Moh oufellah.

Ensuite mon père est reparti au maquis. Puis il est conduit par la liaison jusqu'à Tizi Ouzou. Ça s'est passé ainsi pour beaucoup de vieillards. Mon père était accompagné par Vouravâa, qui longeait la route quand mon père marchait caché derrière les broussailles et les arbres.

A Tizi-ouzou, il est monté discrètement dans un camion de transport de légumes, caché parmi les sacs, en direction de l'ouest du pays. A son arrivée à Mostaganem, il est reçu par Zi-Ahmed.

Zi-Ahmed est venu à la caserne d'El-hed, la perte de la carte d'identité de son père. Il lui en a fait une autre, ça lui a permis de s'installer et travailler sans crainte. Nous étions enfin tranquilles. J'ai tricoté une paire de gants spécialement pour Si-Ahmed acharfiw. Je les lui ai envoyés par le biais d'un maquisard.

Avril 1960

Lors de l'évacuation, Wardia était enceinte de son sixième enfant. Au bout de quelques semaines, un troisième garçon est né. Tagawawt, demande à sa fille

- Qu'est ce que tu veux que je t'apporte,
- Juste un bout de tissu de ta robe si possible.

Tous les membres la famille présents se penchent et regardent le nouveau né. Sous l'effet de la timide chandelle qui éclaire à peine l'espace occupé par l'enfant, Fatima aperçoit à peine les jupons de sa grand-mère.

La vieille femme au grand gabarit et visage creux, s'en va le lendemain au petit matin vers Larbaa Nat Irathen, pour vivre ou survivre auprès des siens. Sur son chemin, elle transporte, pour le compte des maquisards, des armes et munitions vers Larbaa. Arrêtée à la caserne de Taboukirt, elle laisse les soldats vérifier ses affaires, sans parvenir à toucher les colis entreposés sous ses genoux.

Le soir suivant, les français perquisitionnent dans le village. Ils font mettre les gens dehors. Un certain Amirouche est tué au cours d'une embuscade près du village. Achour n-Boujemâa arrive avec des soldats. Hlima, mère de Moh Mansour, le supplie de laisser Wardia se reposer. Achour refuse, et continue de gueuler pour envoyer les femmes et les enfants sous la pluie.

Zahra tient le nouveau né dans ses bras, couvert d'un bout de tissu de la robe de sa grand-mère. Malha sert d'appui pour Wardia. Fatima et les autres enfants jouent dans la boue et les flaques d'eau, presqu'inconscients de la gravité du moment.

En son hommage, Wardia décide de prénommer Amirouche son nouveau né. Le 22 Aout dernier, le sous-lieutenant Abdallah d'Ibsekrien tombait au champ d'honneur. Moh el Haj qui vient d'apprendre la bonne nouvelle de son petit garçon, envoie un message irrévocable pour lui changer de prénom et l'appeler Abdallah en hommage à son ancien chef et ami.

Fatima

Un nouveau ratissage plusieurs jours plus tard au village Alma Bwaman, et pendant que les soldats cherchaient dans les différents quartiers, Achour n'Boujemâa s'approche de ma mère accompagné d'un soldat français au visage plein de rousseur. Il parlait à ma mère et le goumier traduisait.

Il lui demande d'aller se placer là ou les maquisards sont passés. Ma mère répond d'un geste, « je n'en ai jamais vu ». Achour était solennel, véhément et très froid et insistant. Tandis que le soldat roux était plus courtois envers ma mère.

Lancez

Nous étions deux, on nous avait envoyés tendre une embuscade, et les soldats français arrivent, cheveux blancs, les yeux verts, au visage très juvénile, et j'ai interpellé mon camarade,

- Tu as le courage de tuer des gens comme ceux là, toi ?
- Non, moi je ne peux pas, et toi ?
- Moi non plus...

Nous sommes revenus pour informer nos chefs, « que les soldats n'étaient pas venus ».

Ighil

Les soldats avaient vu de loin Moh Elhaj et lancez dans la forêt d'Anzamri. Ils les encerclent aussitôt en resserrant la boucle. Les deux maquisards se sachant piégés, se cachent dans un arbuste en haut du rocher Igarfiwen. Les soldats, sûrs de la présence des fugitifs dans les parages, prennent confiance. Pendant un instant, un des soldats s'approche d'une broussaille pour soulager sa vessie. Il ne rate pas, sans le savoir, lancez et Moh Elhadj. Au moment de repartir, il les aperçoit quelques coudées plus-bas. Moh el-haj fait un geste bref, et dans la panique le soldat hurle en reculant, et perd l'équilibre. Il se retrouve quelques dizaines de mètres plus bas, défiguré, raide mort. Ses camarades distraits par la chute, s'occupent de lui et omettent de poursuivre la chasse aux deux rebelles qui commencent à être déjà trop loin.

Lancez et Marzouk Moh ourouji ne sont pas armés. Leur rôle est l'aménagement des refuges, les renseignements et la liaison avec la population.

Un jour, Lancez est envoyé par son chef, pour tuer Robert Chazal, père de Claire, une petite fille née en 1956. Il arrive chez lui à Tazazrayt et frappe à la porte. Le propriétaire lui ouvre et le reçoit cordialement. Il l'invite à s'asseoir à une table, bien garnie et généreusement arrosée, c'est difficile de mieux tomber. Lancez se régale avec son hôte d'infortune. Après le dessert et le café, il le salue et prend congé. Il revient auprès de ses camarades, et son chef demande des comptes,

- Alors comment ça s'est passé ?
- Formidablement !
- Tu ne l'as pas tué ?
- Non, on ne tue pas un brave type comme lui !

Robert finit par soutenir le FLN financièrement. Sa fille Claire continue de vivre tranquillement dans les pairies de Tazazrayt, sans que son père ne soit inquiété par les résistants.

Lancez était le plus aimé des maquisards. « Là où il y a Lancez, tu peux faire la fête » s'en amusent ses camarades. Amr ou-Saâ, lui reconnait ses qualités;

- Il est très rusé. Il inspectait tous les environs. Son périmètre est toujours assuré. Il savait chaque détail sur les postes militaires. Il compte le nombre des baguettes de pain qu'ils consomment.

Lancez n'a jamais longé un sentier. Il le coupe à chaque fois. Il rentre dans les buissons en marche arrière afin de ramasser les moindres feuilles tombées. Lorsqu'il pleut, il inverse ses chaussures. Il attache les talons aux orteils, pour fausser le sens.

Il a sauvé également beaucoup de vies d'une exécution certaine. Les concernés lui rendent service en retour, en lui donnant de l'information. Il a sauvé Djoher Nali, Si-Wali et Haj Moh entre autres.

Les maquisards avaient ordonné à quelques jeunes de saboter un endroit précis de la route d'Ighil. De peur d'une explosion ou d'une arrestation, les adolescents renoncent à remplir la mission. Mais comme la peur des maquisards est comparable, ils en

font part à Lancez, qui leur fait une suggestion;
- Allez saboter dans un endroit plus sûr. S'ils vous le reprochent, dites leurs que vous n'aviez pas compris l'endroit indiqué.

En 1960, les maquisards avaient demandé à des civils d'enterrer un cadavre en bas du village, près de Tamda hend adoujil. Lancez empêche les civils de l'enterrer, et leur explique ;
- Les sentinelles d'ath Moussa sont en train de nous observer, cela veut dire qu'ils attendent quelque chose.

Son doute s'est avéré juste. L'homme avait un abri à voualil. Il était du village Tawint, de la famille cheikh Amar. Des soldats avaient miné son ustensile qu'il utilisait pour les ablutions. Après l'avoir achevé, les soldats ont miné de nouveau un autre ustensile à sa place, et surveillaient de loin. Il a été abandonné sur place à Voualil, pendant une longue période.

Lorsque les filles de Moh El-Haj remontent d'Alma Bwaman pour aller chercher diverses végétations pour la cuisine au village, elles contournent par Tamaright pour éviter l'odeur cadavérique qui empestait à plus d'une lieue de Voualil, voir jusqu'à la caserne, où les soldats attendent de piéger quelqu'un, en vain.

Les maquisards avaient saboté la route d'Ighil. Les soldats l'ont réparée, puis l'ont minée. Des maquisards ordonnent à Moh-ouvouj de Berber et ses copains, de la saboter encore au même endroit. Ils s'exécutent. Une mine explose et Moh ouvouj est blessé à l'œil, à vie. Peu de temps après cet abus, Arezki demande la main de la sœur de deux maquisards, qu'il épouse en 1960 sans trop tarder.

Sadia 1960

A mon arrivée à Alma bwaman, j'ai continué de ravitailler les résistants. Nous posions des sacs de pain, Tassadit n-Zi Mhend et moi. Il y avait un abri, on allait y laisser des sacs de pain, et on plantait un bout de bois. Ainsi les maquisards le voyaient. A la fois ils savaient qu'il y avait le ravitaillement pour qu'ils viennent le chercher, et qu'il n'y avait pas alerte ratissage ou perquisition. Si le bout de bois n'est pas vertical, ils ne doivent pas s'approcher.

Creux de la vague

Après l'opération Jumelles, la Kabylie était réduite à 4000 hommes mobilisés. L'ordre était donné de se terrer. Un bataillon est parti opérer dans les Aurès. Moh Oufellah était de ceux là. Le reste s'est dispersé. Certains sont repartis travailler dans les grandes villes, y compris Tizi Ouzou. Belkacem Ouacif jugé comme simple déserteur, est libéré. Il a repris le travail dans un Hammam à l'ouest Algérien. D'autres trouvent des cachettes dans les villages. La plupart ont du cacher leur arme, qui de toute façon n'auraient pas servi dans l'immédiat. Les chefs de l'extérieur les appelaient à cesser d'affronter un ennemi, de loin supérieur matériellement. Rabah Moh ou-Saidh, incarcéré dans la prison de Tigzirt, a fini par s'évader et a repris le maquis.

Pour se ravitailler, les femmes achètent le minimum nécessaire. La SAS distribue des rations de base pour des familles recensées. Mais il y a un approvisionnement hors de contrôle des autorités. Des jeunes femmes sans escorte, font le chemin jusqu'à Voujima au milieu de la nuit, pour acheter la ration des maquisards et combler le manque. Elles reviennent avant l'aurore.

Un avion de chasse remonte quotidiennement, d'Assif Ath Aissi vers ath Jennad, pour virer en direction de Tigzirt, dans le but d'inspecter tous les postes isolés. Cela permet de les rassurer. En ce jeudi du 21 Avril 1960, il est 19h, le coucher de soleil approche, quand il arrive au dessus d'Adrar nat Kodéa, en se dirigeant vers l'ouest. Le soleil couchant réduit la visibilité. L'avion est touché par un tir d'une mitrailleuse MG43, manœuvré par un maquisard campé au rocher de Moulithe. Le pilote a seulement le temps d'alerter la caserne d'Azazga. Avant de pouvoir préciser l'endroit exact, l'avion est déjà en feu sur le sol entre Adrar et Mira, avec Jouffroy, son pilote calciné à l'intérieur.

Mi-janvier 1961

Sadia

Un soir, le fils de notre voisine à Alma Bwaman, un maquisard, est rentré au village en compagnie de Mhemed Mohand wamar.

Nous nous sommes fiancés, Mhemed et Moi, et nous avons fixé le jour du mariage.

Au milieu de la nuit, des soldats français sont arrivés pour perquisitionner, et ont fini dans un accrochage avec les deux maquisards. On a déploré la mort de notre voisin. Mhemed avait réussi à s'échapper. Le jour convenu du mariage, Il y a eu ratissage de l'armée, alors la date de mariage est reportée à une date ultérieure.

Fatima

Quelqu'un à la maison m'avait envoyée chez Na-Titem chercher un ustensile. J'arrive à la porte, je la trouve assise près la maison, avec d'autres femmes, vêtue d'une robe bleue, au soleil. Elle était très propre, d'une taille moyenne. Un visage carré, des joues non creuses. Teint très clair, comme na-Sadia. Elle était pensive, posant son menton sur son poing fermé. Elle fait signe de sa main à l'une de ses belles filles pour me remettre l'ustensile, et replonge aussitôt dans ses pensées, presqu'ignorant totalement la présence les autres.

Hivers 1961

Mon père est rentré un soir d'hiver, et nous étions sur la mezzanine, Zahra, Fadma et moi. Je regardais mon père en train de diner. Son ombre allongée sur le mur me fascinait. Je distinguais à peine son visage au clair de la chandelle. Il accompagnait à chaque fois la cuillère remplie de couscous de sa main gauche jusqu'à sa bouche. Il ne manquait pas une miette. Le genou droit était appuyé contre sol. Son fusil posé également verticalement, était soutenu par sa jambe gauche.

On dormait, et mon père avait quitté la maison, sans qu'on ait eu l'occasion de lui parler. Mais tout cela nous semblait naturel. Au milieu de la nuit, nous sommes réveillés par des coups de feu. Ma mère commence à dire ;

- Cette fois je sais qu'il va y passer. Il ne va pas s'en sortir cette fois, je le sais….

Les coups de feu ont duré jusqu'au petit matin. Fadma et moi on les comptait, dans une ambiance très détendue.

A l'aube, les tirs ont cessé. On sait que les soldats viendront nous faire sortir, car des que l'accrochage a cessé, on a devoir d'ouvrir la porte et sortir, si les soldats trouvent la porte fermée, on est tué sur le champ. Ma mère nous prévient ;

- Si vous voyez le cadavre de votre père, n'accourez pas vers lui en pleurant. Gardez votre calme et votre dignité. Sinon les soldats vont se moquer de nous et brocarder les moudjahidines.

Nous sommes sorties, comme tout le monde, dans un froid insupportable. Deux corps sont ramenés sur le dos d'ânes, et étalés sur la place. Un goumier s'amusait à en poser un sur le dos de l'animal, avant de le laisser s'échoir de nouveau sur le sol, en ricanant « il ne sait pas même monter un âne, …haha ». Zi-Moh ourezki ou-Yahia s'empressait de lui redonner une apparence plus digne, en essuyant son visage ensanglanté et en arrangeant ses vêtements. C'étaient un maquisard d'iflissen et Arezki n'Mohand n'Amar.

Ils s'étaient retrouvés dans un accrochage au lieu dit Agoudal, en dessous du village Alma Bwaman. Nous n'avons jamais vu des soldats morts. Ils n'avaient pas coutume de les exhiber. Pourtant on savait que Moh oufellah leur avait tiré dessus un autre soir avec un MAC 24 au milieu de la nuit, avant de prendre la fuite quand ils ont repéré la provenance des tirs aux étincelles.

Dahvia

Titem début mars 1961

C'était le printemps, Yema-Titem faisait le pâturage avec na-Tarezkits, elles sortaient le troupeau le matin et revenaient en milieu de matinée. Puis elles repartaient dans l'après midi, pour rentrer le soir.

Un soir, Amirouche El-baz, fils de la propriétaire de la maison où on habitait, est tué par les soldats. On avait acheté des sardines, on en a fait un ragot. On l'a laissé ainsi, non recouvert, quand les soldats nous ont fait sortir, juste après l'arrêt des tirs.

Nous avons passé la nuit chez les gens. Le lendemain matin, nous sommes revenues. Il y avait la mère du martyr, Wardia n-Saïd, et sa femme... En rentrant, nous avons découvert la maison totalement désordonnée. Ils avaient tout mélangé; l'huile, la semoule, ... le vinaigre.

Yema-Titem a pris des sardines, en a mangé un peu rapidement avant de repartir pour le pâturage avec na-Tarezkits. C'était déjà l'après midi, après le départ des soldats étaient partis. Très vite elle est revenue, prise d'une fièvre ;

- Faites vite, couvrez moi, je vais me coucher. Je meurs de froid.

Elle s'est couchée, on l'a recouverte. Nous ne savons toujours pas si la sardine avait été empoisonnée par les soldats, ou c'est parce que nous ne l'avions pas couverte. Elle était refroidie. Yema-Titem était déjà sous le choc. Elle ne s'est jamais relevée. Deux semaines plus tard, elle est morte.

Wrida

A Alma bwaman, La-Titem tebsekrit avait attrapé rapidement une maladie. Les gens n'ont pas fait trop attention, ils pensaient qu'elle avait seulement un mal de tête. Sadia lui ramenait des herbes, tahmamt ou-madagh. Personne ne pensait que c'était si grave. Elle est décédée peu de temps après.

Sadia et Dahbia n-Mhend se dépêchent à Ath Moussa pour chercher un permis d'enterrement auprès de la caserne, juste avant la tombée de la nuit et le début du couvre feu.

Elle est enterrée à ami el-mouhoub. Nous sommes toutes allées à son enterrement. Aux funérailles de La-Titem, il y avait Mohand Arezki, Hemd Ouidel, Si-Touali, deux hommes d'Alma bwaman, et des femmes.

Slimane

J'avais envoyé une robe, par le biais de Moh Adouf, pour yema Titem. A son retour il m'informe qu'elle n'avait pas pu recevoir sa robe. Je me suis mis à cogner ma tête contre un mur. Elle était morte car ils avaient tué un homme de la maison. Ils avaient ramené le mort sur le dos d'un mulet. Ça l'a choquée.

Sadia

Elle avait demandé à être enterrée à Igherbiene. Mais c'était un couvre feu. Près de 8 jours après la mort de ma mère, Zi Ahmed est arrivé à la maison. Il n'avait pas eu la nouvelle à temps. Mais il avait fait un rêve,

- Le frêne qui se trouvait entre notre maison et celle de Zi Amar n-Hend, avait un tronc qui pourrissait très vite, puis l'arbre est tombé. Alors je me suis dit, ça c'est ma mère.

Il est venu. Arrivé à souk el-hed, et Fatima tameziant est venue vers lui, et lui annonce, pensant qu'il était déjà au courant.

- Toutes mes condoléances... *El-baraka di-lôumour nwen à-khali.*

Après ça, il a eu du mal à marcher. Il a regretté d'avoir demandé les nouvelles aux gens. Dahbia s'est plainte auprès de Zi-Ahmed, mais en mon absence.

- Ta sœur est revenue à la maison, nous en sommes très heureux, mais elle a repris son activisme avec les maquisards. Ils vont l'attraper, je te préviens.

Il est venu me retrouver, il me prend la main, il la serre fort et me dit :

- N'apporte plus d'aide aux maquisards, c'est risqué pour toi et tu mets toute la famille en danger. Dahvia n'a pas de haine envers toi, mais elle est usée des perquisitions des français. Comme toutes les autres d'ailleurs. Ce n'est plus à toi de ravitailler les maquisards. Vous êtes trop jeunes Tassadit et toi. Personne ne pourra vous sauver.
- Tu as raison.
- Tu crois que les maquisards c'est parce qu'ils apprécient qu'ils demandent votre ? Pourquoi ce ne-serait pas la femme de si-Ouakli et Zehra n-boukejir qui rempliraient ces tâches à votre place ?

- Oui, je sais...
- Tu promets de jurer de ne plus recommencer ?
- Je ne vais pas jurer, mais je ne vais plus ravitailler ni surveiller pour les maquisards.

Je voulais seulement le rassurer. Zi-Ahmed avait envoyé une lettre à mon oncle d'ibsekrien,

- Je voudrais ramener ma sœur chez vous, car ici, j'ai peur pour elle.
- On ne peut pas la recevoir, on est à l'étroit ici. Et puis j'ai peur de m'attirer des ennuis à cause d'elle.

Depuis ce-jour, Zi Ahmed les haïssait tous. Il m'a proposé d'aller vivre auprès de Na-Fatima, installée à la Casbah. Il le lui avait déjà demandé auparavant, elle était d'accord.

Mais moi, je ne voulais pas y-aller, car ses fils étaient tous jeunes et célibataires. La vérité c'est qu'elle me voulait comme épouse pour l'un de ses garçons, et moi je n'en voulais aucun comme mari. Je suis alors restée à Alma Bwaman. Zi-Ahmed est retourné à Mostaganem peu de temps après pour son travail.

Nous n'avons pas mis beaucoup de temps pour retourner à nos activités avec les résistants, Tassadit et moi. Près de trois mois après le décès de ma mère, une date de mariage est fixée de nouveau.

Printemps 1961

Fatima

Fadma Bwemsoun est mère de Joher Nali. Avant et même après le mariage de Moh El-haj, elle essayait de le récupérer pour épouser Joher. Wardia était indifférente à sa mort, survenue quelques semaines avant celle de na-Titem tabsekrit. Alors qu'elle avait été bouleversée à la mort de cette dernière. Un jour Moh el-haj, après avoir averti plusieurs fois Joher Nali, de s'éloigner des français, il se résout à l'exécuter. Belkacem Ouacif l'en dissuade au dernier moment,

- Zi-Moh el-haj, C'est toi-même qui nous disais, « pas les gens de chez nous ».

Un jour le commandant Moh Ouali ordonne à Moh el-Haj d'exécuter un traitre et Moh el-haj refuse. Le chef n'a pas insisté plus longtemps, il a exécuté lui-même la sentence.

Wrida

A chaque fois qu'on entendait « aujourd'hui les soldats vont perquisitionner et encercler le village, ils vont vous exterminer » on prenait la fuite si on pouvait. Parfois on fuyait à Iajmad, d'autres fois à Mira, et combien de fois aussi on se dirigeait à Taouint, et les maquisards nous disaient,

- Retournez dans votre village, ici également ce sont des soldats français, pareil ici que la bas ».

Là où l'on tentait de s'exiler, on nous refoulait. Certains sont exilés à Nezla, d'autre à Taboukirt. D'autres encore sont partis vers Ath Si Ali. A notre tour nous nous sommes exilés à Nezla. Nous étions tout un groupe ; la famille d'Amar ou-Mhidine, Vava Ali, Moh ou Rezki ou-Yahia, Na Fatima Namar et ses enfants, kheloudja et moi, tous vers Nezla.

Sadia

La caserne de Nador avait une annexe à Taboudoucht. Des" arabes" étaient des appelés du service militaire affectés à Taboudoucht. C'est ainsi qu'on désignait ceux qui venaient des régions en dehors de la Kabylie.

Tamsount avait remarqué que les soldats arabes achetaient régulièrement des œufs et qu'ils étaient proches des vendeuses à Houbelli. Tassadit Namar et Zhor ou-Chibane, étaient de Houbelli toutes les deux. A cette période il n'y avait plus de couvre feu. Les dits soldats arabes saluaient régulièrement les deux filles, leur serraient la main, et échangeaient des formules de politesse, « bonjour, ça va, comment allez-vous ? » Ils commencent à trouver des affinités.

Zhor compose un poème sur l'un d'entre eux. Tassadit est sœur d'un maquisard, Arezki ou-pacha. Celui là, connaissait tous mes secrets de ma vie de fugitive.

Ces soldats font confidence aux deux filles que s'ils trouvaient un moyen, ils rejoindraient la résistance. Tassadit transmet le message à son frère, qui en fait part à ses supérieurs, Moh ou-vouj de Taboudoucht et si Habachi de Cheurfa. Les maquisards répondent favorablement mais imposent une condition. Que les soldats arabes leur fixent une date et qu'ils assurent eux-mêmes la sentinelle. Les trois soldats acceptent.

17 Mai 1961.

Le jour venu, au milieu de la nuit, l'un tenait la garde à la guérite, l'autre surveillait la barrière et le troisième faisait des rondes. Les autres soldats dormaient tranquillement. Si-El-Habachi, Moh Ouvoujema, Arezki ou-pacha et leurs camarades s'introduisent dans la caserne et égorgent les soldats, sur le lit. Des hommes surveillaient à la mitraille à la porte pour empêcher l'alerte. Au début, seul le couteau était à l'œuvre. Une fois qu'un soldat a donné l'alerte, la mitraille a servi pour finir à bout portant. Ni prisonnier, ni rescapé. Ni victime du côté maquisards. Neuf armes sont récupérées en se dépêchant de quitter les lieux.

Le lendemain matin à la caserne de Nador, on s'étonnait de voir le drapeau de Taboudoucht toujours en berne. Aucun mouvement de soldat. Ils appellent au téléphone et personne ne répond. Ils descendent et trouvent un bain de sang.

Les maquisards avaient quitté à marche forcée jusqu'à Mizrana pour échapper à la nasse d'encerclement qui allait débuter juste à l'aube. Les soldats arabes sont repartis avec le commando de si-Habachi.

18 mai 1961

Les soldats récupèrent les cadavres à bord d'un hélicoptère et mettent le feu aux matelas et dans toute la caserne avant de partir. Un large ratissage est entamé dans toute la forêt de d'Ighil Nath Jennad.

Ils ont eu un accrochage avec un groupe de maquisards, dans la forêt d'Aberan. Les 8 maquisards ont été tués. Parmi les martyrs il y avait des marocains qui avaient déserté l'armée récemment pour rejoindre la résistance. Les autres étaient des kabyles de la région, dont mon fiancé Mhemed Mohand Wamar qui tentait de rentrer à Alma bwaman. C'était le jour convenu de notre mariage. Akli n-cheikh Salah a identifié le cadavre de son cousin.

Eté 1961

Quand les soldats arrivaient dans le village, ils avaient plus peur que nous, leurs visages devenaient blême. Un jour j'ai mis foulard comme drapeau, pour les provoquer et quelqu'un m'a prévenue.

- Attention, ils vont venir !
- Je l'espère ...

Un petit moment plus tard, ils sont arrivés. Je me suis cachée pour changer de vêtement et je suis sortie tranquillement au milieu de la foule. Après une perquisition rapide en vain, ils sont repartis sans causer de dégâts.

Eté 1961

Yamna, une soignante traditionnelle, une femme juste, aimée de tous, était une bonne amie de Titem. Yamna est veuve d'Amar n-Hend Wamar, décédé il y a dix ans. Fatima Namar est ainsi orpheline. Après la mort de Titem, Slimane devient de nouveau orphelin.

Dahbia Nali devenue l'ainée de la famille, les lie de mariage.

Slimane

Il fallait me marier, afin que mon père puisse venir lui aussi au village sans ma présence. A cette époque, la traversée est fermée entre la France et le pays. Mais comme mon père était malade, le commissaire m'a convoqué pour me prévenir qu'il avait été autorisé à rentrer. J'ai découvert aussi qu'ils avaient des informations sur tout le monde. Je suis rentré à Alma Bwaman en juillet et je me suis marié.

Juillet 1961

A son retour de France, Zi-Amar s'est rendu à alma Bwaman, pour récupérer Fadma Moh ou-Saïdh ;

- Je suis maintenant mariée à un cheikh, c'est trop tard.

Il avait regretté de l'avoir répudiée. Elle était peut-être aux petits soins avec lui. Zi-

Amar était très suspicieux, « elle a fait ceci, elle a fait cela », il trouvait souvent des motifs pour répudier une femme.

Dahvia

On met souvent un tissu blanc pour signaler aux maquisards de rentrer librement. Lorsqu'ils doivent rentrer, Fatima n'cheikh vient nous fournir auparavant des provisions, pour leur cuisiner. Et si on n'a pas cuisiné, on prépare une galette de pain. Chaque maison doit cuire 2 ou 3 galettes dures.

Ce jour là, on avait vu les soldats sortir de la caserne Ath Moussa. Ils avaient pris le chemin Tawint, Vouakacha, et ils ont disparu de la vue. C'était un temps d'été.

On avait surveillé toute la journée, il n'y avait pas de soldats. On les a attendus, ils ne sont pas réapparus. On a mis le mot rouge pour les moudjahidines, donc il ne fallait pas qu'ils rentrent. C'était un tissu rouge sur une tige de roseau. On n'a pas préparé le ravitaillement et Fatima n'Cheikh n'est pas venue.

Slimane est sorti de la maison. Il y avait une petite mosquée à côté, on l'appelait mosquée des vieux. Il y était avec un certain Meziane el-baz.

C'était quelques jours après son mariage, Fatima Namar est allée là-bas, pour allumer le feu, ...c'était un coin cuisine, ils dormaient aussi à l'intérieur, elle et Slimane. Il était plus de 19h, s'ils voyaient quelqu'un dehors, ils lui tiraient dessus.

Finalement les soldats étaient allés à Ighervien, puis redescendus en suivant la rivière de Voualil. Jusqu'à ce qu'ils soient arrivés devant la mosquée.

Amr ou-Saâ

Nous et les soldats d'ath Moussa, on faisait la course à qui arriverait le premier au village. Nous sommes venus en suivant la rivière d'alma bwaman, Akli n'cheikh Salah, Moh-Arezki el-baz et moi.

Nous sommes rentrés dans la maison de Moh-Arezki el-baz. Il y avait sa femme et la famille de Mhend ou-Slimane. Puis on a trouvé cette femme...Sadia, Slimane et son épouse. Puis Slimane et sa femme sont sortis.

Dahvia

Les trois maquisards sont arrivés. Arrivés par la rivière et rentrés par la porte du potager. Amar ou-Saâ avançait, suivait Fatima et l'interpelle...

- Jeune fille, tu ne sais pas s'il y a quelqu'un qui est allé à el-hed aujourd'hui, pour nous dire s'il n y a pas les soldats.

Je n'en ai pas vu, et nous y sommes allées moi et dahvouche n'Ali. Nous avons acheté du fromage et des sardines...

Fatima Namar allait chercher son mari. En voyant les soldats arriver, elle s'apprêtait à les recevoir, « bienvenu mes frères », finalement elle voit un chien entre eux, là elle comprend que ce n'étaient pas des maquisards...

- Viens ici, viens ici, ...

Et Boujemâa l'interpelle,

- Viens ici, n'aie pas peur !

Slimane

J'étais à l'intérieur d'un vestibule qui servait de tout, avec Meziane el-baz. Fatima rentre et fait signe de sa main de se taire. A peine s'est elle retournée, que les soldats arrivaient déjà dans le village. Un chien les précédait. On marchait dehors pour aller se coucher. Ils nous ont arrêtés aussitôt.

Amr ou-Saâ

Nous sommes sortis, arrivés dans un chemin étroit, d'environs 1m50 de largeur. D'un côté il y avait des maisons, et des murets de l'autre. J'ai regardé vers le haut, il y avait rien, vers le bas non plus, alors j'ai continué de marcher devant. Un court instant plus tard et j'ai aperçu deux soldats, environs 20m derrière moi.

Le deuxième soldat semblait m'avoir vu, mais pas le premier, car il tirait son camarade pour se tenir derrière l'angle de la maison pour tirer sur moi. A peine je les ai vus, je me suis jeté sur le sol puis j'ai reculé. J'avais un Mauser. J'ai tiré et le coup a touché l'angle de la maison, j'ai vu les étincelles, c'était de la pierre. Puis tous les soldats se sont mis à tirer, mais aucune balle n'est arrivée jusqu'à nous.

Dahvia

Quand Amr ou-Saâ a tiré, les soldats ont fait couchez-vous, ils avaient encerclé les deux garçons et Fatima contre la mosquée. Sadia a sauté par-dessus le muret et elle a pu rentrer à la maison, et elle demandait

- et ...Slimane nagh où est-il ?

et moi je criais

- ...oh mes frères qui se font tuer ... !

Je ne faisais pas allusion aux moudjahidines, mais à mes petits frères.

Slimane

Amr ou-Saa tirait des balles qui passaient sous mes jambes. J'ai pris la main de Fatima et nous sommes partis. Arrivés devant un muret de pierre, je fais passer Fatima, puis je saute à mon tour. Et nous sommes rentrés à la maison. A cette époque, pas un adolescent ne trainait dans le village.

Amr ou-Saâ

Mais pour suivre le chemin vers le bas, c'était beaucoup de soldats, ils nous auraient touchés, ils étaient à moins de 50m de nous. Il y avait une maison devant nous, alors nous y sommes rentrés. Nous avons traversé la cour, et nous sommes sortis par la basse-cour. Moh-arezki el-baz n'était pas sorti de la maison, il est passé par là où nous sommes rentrés. Il n'avait pas croisé les soldats. Et nous sommes repartis au maquis.

Dahvia

Sadia a fermé la porte extérieure. Les soldats n'arrêtaient pas de tirer, mais les moudjahidines étaient partis. Il n'y a pas eu de victimes. Le lendemain ils nous ont encerclés. Ils nous avaient surveillés depuis tighilt Iamrache, avant de descendre. Ils ont commencé l'arrestation des personnes pour les interroger. Ils ont commencé par Yema tamghart et Hesni tagawarets.

Ils sont arrivés à la cour de la maison, il y avait deux chambres. Na-hesni s'est accrochée à la ceinture de Yema tamghart, un soldat l'a attachée, et l'a tirée, Yema tamghart est tombée, sa tête s'est cognée au sol.

Hesni tagawarets est sortie par la porte du potager sans être interrogée. Yema tamghart a été interrogée. Une fois sortie, ils m'ont appelée à mon tour.

- Ait Slimane !
- je suis là...

Hamid était sur mon dos, et je tenais Mohand à la main. Je suis rentrée, Boujemâa m'a enjoint :

- pose ton fils et assieds-toi sur le sol,
- je ne pose pas mon fils et je ne m'assieds pas sur le sol. Dites seulement ce que vous avez à dire.

Ils étaient trois, deux français et lui pour interpréter.

- Il est où Slimane ?
- Slimane est reparti. La permission que la caserne lui avait donnée est expirée.
- Non, il est parti avec les fellagas,
- Si tu ne me crois pas, vas demander à la SAS d'el-hed. Il est reparti à Oran pour son travail.
- Elle est où sa belle mère ? a dit boujemaa, lui il nous connaissait tous.
- Sa belle mère est partie avec lui. Elle n'est pas encore revenue. Sa femme est là avec nous.
- Maintenant tu peux sortir.

Je suis sortie. Ensuite ils ont appelé, « Tighilt ferhat... ! » Aussitôt, Fatima a pris Mohand et l'a jeté sur son dos avant de rentrer, en criant. Je l'ai suivie ;

- Rentre, n'aie pas peur, ils te feront rien, tu leur dis la vérité.

Elle n'est pas interrogée. A peine passée la porte, ils ont annoncé,

- Allez, on va l'emmener à la SAS.

Alors j'ai interpellé

- Boujemaa ! Boujemaa ! tu ne crains pas Dieu ? qu'a-t-elle fait pour l'emmener à la SAS ?
- C'est parce que vous cuisinez pour les moudjahidines.
- Même vous si vous nous obligez, on va cuisiner pour vous. Si vous êtes des hommes allez les attendre quand ils seront de retour. Ce n'est pas nous qu'il faut venir voir. Qu'est ce qu'on a fait ? Le moujahid est venu avec son arme, toi tu viens avec ton arme. Que veux tu qu'on fasse ?

Ils ont emmené Fatima. Elle criait aya *yemas, aya yemas*. Elle avait toujours mon fils Mohand sur son dos. A peine elle est arrivée à Imekhlaf, elle est suivie par ma mère, qui l'interpelle ;

- Relâche Mohand. C'est moi qui viendrai avec toi. Sinon tu risques de le tuer à la caserne.

Dans cette colère Sadia a pris une pierre et l'a projetée sur eux. Un sergent est touché au coude, il a jeté son fusil, et a crié « maman… ! ». Sadia a pris Zehra n'Mhend G Yehia et l'a jetée sur son dos, avant de fuir. Elles sont toutes enfuies.

Ils allaient emmener Hesni n'Mhenna, elle s'était couverte d'une selle de mulet, elles l'ont retirée, et sa mère l'a prise, et elles se sont sauvées. Je suis restée avec Fadma Moh et je gardais les trois enfants.

Famda Moh est frappée par un soldat. Elle est tombée, je l'ai relevée.

J'ai pris Mohand et Fadma n'Zi-Mohand par les mains, et Hamid attaché sur mon dos. Ils m'ont rattrapée, cognée avec une crosse de fusil sur la tête. Au troisième coup je suis tombée, et j'ai lâché les enfants, évanouie.

Tassadit, ma tirée en me trainant par terre, pour m'échapper. Pendant 8 jours, chaque midi, ils venaient perquisitionner ;

- Nous recherchons la personne qui nous a frappés avec une pierre. Vous allez le montrer et on va lui tirer dessus... avec des balles.

Mais nous si on dénonçait Sadia, on finirait au bout d'une corde.

Slimane

Le lendemain, très tôt le matin, on m'a déguisée en femme, parmi un groupe de femmes et nous sommes partis à souk el-hed où j'ai pris le transport. Je suis reparti à Oran. Au bout de 8 jours, j'ai envoyé mon père depuis Oran à Alma bwaman.

Les harkis et les autres

Les pires éléments envers la population sont les harkis de la région. A peine moins violents qu'eux, ce sont les paras, les goumiers marocains, et les tirailleurs sénégalais. Les gentils sont les soldats appelés, les rappelés et certains harkis ambigus de la région. Un harki d'Abizar, un jour voit une jarre d'huile, mal dissimulée, il interpelle Saïd ou-Hmed, un garçon de 9 ans,

- Cache-la bien, sinon les soldats vont la casser.

Les bons sont les appelés arabes. Ils deviennent discrètement complices avec la population.

Pendant une perquisition, Dahbia n-Mhend se trouvait seule, sur les bras son fils âgé d'à peine 3 ans. Elle est surprise par un soldat. Elle prend ses jambes à toute allure, mais péniblement avec l'enfant. Elle finit par s'en débarrasser en l'abandonnant dans une broussaille de myrte, pour rejoindre plus rapidement le groupe de femme au milieu du village. Une autre femme est venue le récupérer juste après.

Dahmane est un adolescent, vit avec sa mère à Alma bwaman depuis plus d'un an. Des paras et des tirailleurs sénégalais débarquent, ils venaient d'une autre caserne. Ils harcèlent les femmes et essaient d'en isoler quelques unes. Les cris sont collectifs et tellement stridents que les soldats d'ath Moussa ont entendu. Leur intervention sauve de justesse les femmes en détresse.

Un jour à alma Bwaman, Kaci n'Mohand n'Saidh voit l'arrivée des soldats pour une perquisition. Un goumier les précédait. L'enfant prend ses jambes à toute allure en direction du groupe de femme devant la maison. En arrivant, suivi des soldats, le goumier rattrape Kaci et le fait voler d'une sonnante gifle sans davantage d'explication.

Le goumier était conscient que si les soldats voyaient ce garçon en train de courir en direction des femmes, ils se douteraient bien qu'il les alertait pour cacher, quelqu'un ou quelque chose. Le goumier le corrige afin d'éviter que les soldats ne fassent plus de répression. A partir de fin 1961, les soldats deviennent moins féroces, ils se contentent de se protéger.

Janvier 1962

Moh El-Haj retrouve les siens, installés à Alma Bwaman voila deux ans ;

- Ma pomme est déjà mure. La guerre va se terminer et le pays va avoir bientôt son indépendance. Mais la guerre qui viendra sera aussi cruelle sinon plus. Ce sont les autres qui prendront le pouvoir, avec des traitres de chez-nous, peut être durant 50 ans ou plus, mais le pouvoir reviendra un jour aux nôtres.

Il demande à sa femme d'acheter des chaussures pour son cadet Abdallah chez Akli Hocine à Ath Moussa.

- Veille à ce que les filles suivent des études. Ne compte pas sur les deux garçons. A l'indépendance, si quelqu'un du village déménage à Alger, il faut que tu sois la suivante.

Ses enfants, souvent tenus loin des conversations, le revoient furtivement. Il est entouré des adultes de la famille.

5 février 1962

C'est le premier jour du Ramadan, à Alma Bwaman, le soleil se couche. Wardia était assise en train de discuter avec sa fille Zahra et autres habitants de la maison Ahdayri qui les accueillait depuis l'évacuation. Secouée d'un violent frisson, elle sursaute et dans un stress palpable elle réfléchit à haute voix ;
- Serait-ce mes deux garçons qui auraient des ennuis à Oran?

Un harki de la région Souama balance auprès des français un sous-lieutenant qui passe dans le coin régulièrement.

Moh el-haj pris dans une embuscade tendue par des soldats français. Ils étaient en haut des arbres. Face à lui le soleil couchant, empêche la vue à l'horizon. Une femme qui faisait le pâturage voulait l'avertir de l'arrivée des soldats, et lui recommandait de fuir.

- Si à chaque fois qu'on voit des soldats on prend la fuite, nous ne serons jamais libres un jour. lui répond-il.

En cours de l'accrochage, Moh El-Haj reçoit une balle sur le crane, tirée du haut d'un arbre. Deux de ses compagnons y survivent et se sauvent.

Les soldats français festoient dans la soirée en célébration de sa mort. Son corps est exposé dans le village.

Des maquisards le récupèrent et le transportent jusqu'à Ath Zellal. Il est enterré avec son compagnon derrière le mausolée de cheikh Amokrane.

Amr ou-Saâ

Les maquisards évitent de s'accrocher le matin avec les soldats. C'est toujours à partir du 14h en hivers et 17h en été. Ils attaquent le soir, c'est plus facile de résister jusqu'à la tombée de la nuit en cas de renfort ou d'encerclement. Mais si une attaque a lieu le matin, la journée devient interminable. La plupart des maquisards ont été tués dans la journée, dans un accrochage qu'ils n'ont pas commencé.

Les soldats ne se déplacent pas la nuit, même s'ils se trouvent loin de leur caserne. Ils dorment sur place au lieu de marcher dans le noir. Ils savent très bien que les maquisards voient mieux qu'eux la nuit, et connaissent mieux le terrain.

Dans leurs embuscades, les maquisards attaquent en premier avec les fusils de chasse, puis ils finissent avec la mitraillette. Avec les fusils de guerre anciens dépourvus d'automatisme, comme Mauser et mousqueton, c'est plus facile de tuer quelqu'un, même à 800 mètres. Alors qu'avec les fusils semi-automatiques comme Garand, le recul de la culasse déstabilise la mire. Les non-automatisés, la mire ne recule pas sans la manœuvre.

Les maquisards n'attaquent pas les soldats près ou dans les villages qui les soutiennent, sauf s'ils sont forcés. Un jour Arezki Moh ou-Saidh avait tiré deux coups feu avec un fusil de chasse sur les soldats. Juste après, il est passé en conseil de discipline. C'était au milieu du village et les soldats étaient mêlés aux femmes et aux enfants, près de Tavekart. Ce jour là, il était tout seul et il n'était pas obligé de de tirer. Mais il avait besoin de montrer sa bravoure devant les femmes.

Sadia début Mars 1962

Avec Mhemed Mohand Wamar, nous étions fiancés pendant plus d'un an. A chaque fois qu'il a eu permission, on tentait de fixer une date de mariage, il y a eu ratissage, et on reportait. J'avais trop attendu. Moh ou-Vouj de Taboudoucht, me courtise et me demande au mariage. J'ai dit non. Je ne veux pas me marier avant la fin de la guerre. Il y a trop de contre temps. Il y a eu trop d'espoirs déçus.

Bonn 19 mars 1962

Les accords de cessez-le-feu sont signés entre Louis Joxe et Krim Belkacem, dans le salon de l'hôtel du parc, à Evian. Sadia est réfugiée depuis quelques jours dans la maison d'Amessis, le trésorier du FLN, à Tala Tgana. Hend n-Amar g-Yahia, un adolescent, la regarde, amusé. Elle ramasse les tracts jetés des avions. Ils annoncent la nouvelle.

Krim Belkacem

Tout le monde suivait les informations sur les accords d'Evian. Il y avait les journaux. On avait une télé sur le lieu de travail, et partout dans les cafés. Ça ne parlait que de ça.

A l'époque, Krim Belkacem, parmi les chefs de la révolution, il n'y avait pas son équivalent. Tous les peuples savaient qu'il avait pris le maquis pendant 7 ans avant le début de la guerre. Ils l'ont présenté à khrouchtchev, quand ils lui ont expliqué qui il était, il l'a serré dans ses bras lui disant ; « mon ami le révolutionnaire ».

Toute la période où Ferhat Abbas était président du GPRA, Nasser ne le rencontrait jamais. Il avait lu sa fameuse phrase « j'ai interrogé les morts et les vivants pour trouver le nom de l'Algérie je ne l'ai pas trouvé ».

Quand Ferhat Abbas est devenu président du gouvernement provisoire, cette phrase a été aussitôt révélée à l'opinion internationale. La déclaration est devenue encombrante. Il recevait à sa place Krim Belkacem, qui était le vice-président.

A chacune de ces élections pour les différents gouvernements, Krim Belkacem était censé devenir président. Mais ses camarades votaient contre lui systématiquement.

Fin mars 1962

L'armée arrive dans le village, d'apparence pour perquisitionner. Ils nous rassemblent sur la place, et Boujemaa Moh Meziane prend la parole ;

- Nous ne sommes pas ici pour arrêter quelqu'un. Il n y aura pas de bousculade, vous n'avez pas raison d'avoir peur. Nous sommes ici pour recenser la population. Vous devez nous dire combien d'hommes sont morts, combien ont émigré, et combien vivent encore, ... chacun d'entre vous qui a quelqu'un d'absent, doit nous en renseigner, afin qu'on puisse le retrouver, voir l'identifier.

C'était la dernière fois qu'on les voyait sous cet aspect. Quelques jours après ce ratissage, ils ont commencé à démanteler les casernes.

1962

Avant la fin de la guerre, Hassan est venu pour Sadia, accompagné par un moujahid, Mohand Lwenes. Nous étions dans la maison de Wardia n'Saïd. Ils n'avaient pas conclu car le père était absent. C'était le jour du mariage d'Idir ou-Saïd. Ils sont revenus un autre jour, et Vava Abderrahmane était de retour de Mostaganem. Alors les fiançailles sont officialisées.

Larvi

Joher ou-mokrane avait présenté une constantinoise à Larvi Moh-l haj, à Oran. Son mari était combattant ALN, il s'était fait prisonnier. Larvi et la constantinoise s'aimaient. Au cessez-le-feu, et ils étaient malheureux. Le mari serait libéré, et Larvi pense son père qui réprouverait cette liaison, mais il ne savait pas que son père était mort.

Les femmes d'ath-Mhidine ont pu partir à Oran. Elles pouvaient trouver facilement des liens de parenté. Les hommes étaient déjà anciens dans la région, comme Hemd ou-Bara, Amar Wali, Ravie, Tahar et Saïd Moh Lwenes. Joher était mariée à Arezki n Bakhlich, il l'a rejointe là-bas. Ils ont vécu la fin de la guerre à Oran.

Dahvia

Au cessez-le-feu, on a commencé à remonter vers nos maisons du village. Certains remettaient les tuiles, d'autres faisaient le crépissage avec de l'argile. On le coupait l'avoine sauvage à la hache, et l'utilisait comme de la paille, et on le mélangeait avec l'argile et on en faisait de la patte pour le crépissage.

On travaillait au village jusqu'au soir puis on retournait à Alma Bwaman pour passer la nuit. On faisait des allers retour jusqu'à ce qu'on ait pu avoir un espace pour habiter. Ceux qui avaient des maisons sont remontés, au printemps.

Ceux qui étaient comme nous, identifiés du côté des moudjahidines, ils nous ont cassés toutes nos maisons. On a fini par s'installer au début de l'été. Dans le quartier, nos deux maisons sont détruites. Tout comme deux maisons de mes parents. Zi-Moh el-haj aussi on lui avait détruit ses deux maisons. Les autres n'ont pas été touchées.

Par la suite les moudjahidines nous ont donné les tuiles. Nous sommes partis à Mostaganem, nous, Fatima n'Amar, Slimane, et les enfants. Zi Ahmed était à Oran, ensuite lorsqu'il a emmené son père, il est revenu à Mostaganem.

Sadia

Quand j'ai reçu la nouvelle de l'indépendance, je me trouvais encore au maquis, à Ihnouchène. J'aidais les maquisards, dans les soins, les vêtements et toute sorte de logistique.

Fatima

Na-Malha est partie chercher mon père. Il y avait eu des rumeurs, qu'il serait parti en Tunisie, ou remarié dans la région Souama. Elle arrive à Larbaa nat irathen, et tombe sur ma grand-mère Tagawawt, recueillie par son frère. Elles échangent un moment. Elle n'était pas très heureuse.

D'autres étaient occupés à fracturer les portes à Alger, pour s'accaparer des appartements et des maisons. Ma mère avait attendu pendant près d'un mois après l'indépendance, à chercher les nouvelles de mon père. Zi-Moh Belkacem se présente un jour, nous étions encore à Alma Bwaman, et lui annonce qu'était tombé en martyr.

Ma mère et Zahra, ainsi que d'autres femmes, étaient en larmes, dans la cour de la maison. J'étais dehors en train de jouer. Puis très vite j'ai compris ce qui se passait, et j'ai accouru voir Fatima n'Zi-Mhend ou-Slimane. Elle était à chez elle, je l'ai fait sortir et lui ai annoncé, presque joyeuse ;

- Il n'y a pas que toi, mon père aussi est martyr. J'en étais fière et insouciante.

Dahvia- Fin 1962

C'est la fin de la guerre, nous sommes allées chercher les nôtres parmi les outre-tombe, à Tassift Khlili pour Zi-Mohand puis à Ath-Zellal pour Zi-Moh El-haj. Les maquisards nous ont transportés sur des camions fournis par l'état.

Vava Abderrahmane est revenu. Ahmed est reparti pour un mois environs, le temps de régulariser les papiers sans doute. Puis il est revenu nous emmener, et nous nous sommes installés à Mostaganem.

Fatima

A Ath Zellal, nous sommes accueillis par des villageois, très chaleureux. Les femmes chantaient en chœur. Il y a eu une grande cérémonie traditionnelle. Les gens semblaient très bien connaitre mon père.

Sadia

A la fin de la guerre, on est revenu d'Alma à Igherbiene, mon père et moi. Le village avait été bombardé avec du napalm. Certaines maisons ont été brulées, tout comme beaucoup les oliviers et les cimetières. D'autres maisons ont été épargnées.

Nous avons remis la toiture et créé le moyen de vivre. Et on s'est débrouillé pour pouvoir s'installer. Cela nous a pris quelques jours, puis on a déménagé d'Alma Bwaman.

Wrida

Au printemps, nous sommes de retour à Igherbiene. Nous ne marchions que sur les débris de tuiles rouges. Ils n'en ont pas laissé sur les toits, et les maisons sont détruites. Il y avait de l'herbe et du foin. Les mauvaises herbes poussaient sur tous les chemins.

Les français avaient ramené des prisonniers pour accomplir la besogne. Ils ont exigé que pas une baraque à poules ne survive à leur passage.

Les gens ont redécouvert leurs affaires dans état déplorable. Les meubles, surtout ikufan, étaient cassés. Pour dégager un mètre d'espace dans une maison, il fallait travailler du matin au soir. Nous nous sommes débrouillés pour reconstituer des toitures avec de la végétation et nous avons logé ainsi jusqu'à l'automne suivant.

Des gens ont reçu de la part de l'état des tuiles, d'autres non. Les veuves de Martyrs étaient prioritaires. Ils ont donné la consigne ;

- Des que vous aurez terminé, il faudra donner aux autres les tuiles inutilisées.

Mais les gens, des qu'ils avaient fini de reconstruire leur toiture, ils cachaient les tuiles restant. Kaci-Meziane a rempli son puits en tuiles. Il a fait des stocks énormes. Il a couvert ensuite le puits pour échapper aux contrôleurs. Il récupérait de l'eau de façon très prudente de l'extérieur. Il est allé récupérer les tuiles de la caserne d'ath moussa, qui était une école avant la guerre, et disait aux gens,

- L'état m'a donné tout ça. Mais vous, vous n'y avez pas droit.

Il arrachait les tuiles, les portes et les fenêtres de l'école et tout ce qui pouvait lui-être utile. Certains ont pu réfectionner la moitié de la maison, d'autres ont posé des panneaux en liège avec les lesquels ils ont du passer l'hiver.

Juillet 1962

Idir ou-Saïdh entame le recensement dans les villages de la commune Izarazen, en commençant par Tikentart.

Achour quitte pour la France immédiatement après le cessez-le-feu. Il s'installe à Marseille comme agent de transit avant le chaos du référendum.

Le goumier surnommé « microbe » de Mahvouva, ancien chef de la SAS, est rattrapé par l'indépendance. Il est roué de coup par les citoyens avant d'être incarcéré au camp d'Imzizou.

La Kasma saisit le terrain appartenant à Ath Lhocine situé à Fréha, au profit d'un habitant de Timizart, à cause de l'affaire de la milice.

1964

Kheloudja, l'épouse de Yahia, arrive en début janvier 1964 pour féliciter sa fille. Elle avait donné naissance à un garçon en fin décembre denier. Elle passe la nuit à Igherbiene. Le jour suivant elle décède, alors qu'elle s'apprêtait à rentrer chez elle. Moh Amechtouh veut organiser ses funérailles dans le village, mais les enfants de la défunte préfèrent l'inhumer à Nezla.

1964

La route du village est tracée. Les bénévoles volent les poutres ferrées de la caserne d'Ali Omar, près d'agouni temlinin, pour construire les ponts, notamment celui de Tiberkoukine.

Sadia 1965

Zi-Mohand est de retour de Paris. Il apprend les évènements sur l'exil, alors déclare,

- Dieu merci, vous avez Sadia. Grâce à elle, vous êtes tous devenus des résistants. Tout le village est devenu résistant à cause d'elle.

Sadia 1967

Mon père a ramené Imravden Tiwidiwin. Ils étaient déjà dans le village, sur invitation d'ath Amar, le même jour. Ils sont rentrés à la maison. Ils lui ont demandé de se tenir debout sur une seule jambe et d'appeler. Il s'est appliqué ;

- Mohand ou-Idir, reviens à la maison.
- J'arrive. *Akliyin anrouhegh.*

Mon père a appelé Zi-Mohand, qui lui a répondu. Il m'a dit qu'il avait entendu sa voix. Zi-Mohand est rentré au pays peu de temps après. Ce jour là, mon père sortait d'hôpital, à Alger. J'étais enceinte d'Atika.

Fatima 1967

Peu de temps après son retour d'Allemagne, en 1967, Zi-Mohand idir nous a rendu visite à fouge-roux. A son arrivée, ma mère était aux anges. Elle m'envoie chez la voisine emprunter de l'argent pour aller acheter du du café. Je profite de faire un crochet à la maison du commandant Moh Ouali. Lui il était dans sa chambre, il sortait peu, et ne voyait pas trop les gens. Sa fille qui étudiait l'allemand ;

- Mon oncle vient de rentrer d'Allemagne. Dis-moi un mot en allemand pour le lui répéter.
- Wie gehts ? ...*comment allez-vous ?*

Je sors et je fais tout mon chemin en répétant le mot, pour le retenir. Je rentre, et le lance le mot à Zi-Mohand. Il me bombarde de plusieurs phrases en Allemand, en rigolant, sans que j'y comprenne un mot. C'est ainsi que nous sommes devenus complices.

Mostaganem 1968

Vriroche était député du parti unique. Il s'est rendu un jour à Mostaganem pour visite dans le cadre des ses fonctions politiques, et il a croisé Zi-Ahmed. Celui-là l'invite à la maison pour diner et y passer la nuit. Vriroche hésite dans un premier temps, et décline l'invitation. Zi-Ahmed le rassure que

- C'est seulement par sympathie et plaisir de voir quelqu'un de la région.
- J'accepte alors à une condition que tu ne changes pas les habitudes alimentaires à cause de moi, ne prépare rien de spécial.

Ils rentrent ensemble à la maison à el-Arsa, et discutent des vieux souvenirs, et abordent inévitablement de la guerre de libération. Zi-Ahmed l'interroge sur Achour;

- Qu'est ce qui l'a rendu si belliqueux envers les gens de la région ?
- Il a fait beaucoup de mal, mais je n'étais plus au pays à cette époque, j'étais en Tunisie. Il en fera encore plus pour ceux qui se trouvent en France.
- Qu'est ce qui l'a poussé à se rallier ?
- Il est devenu ainsi à cause d'Amirouche. Le colonel était devenu sauvage à cause de l'affaire des bleus. Ce que m'a avoué le colonel Mohamedi Saïd, « Amirouche était très jaloux d'Ath Jennad, car à chaque fois qu'il envoyait des troupes dans la région, ils étaient bien traitées par la population, et quand il en envoyait dans la région du Djurdjura, les maquisards étaient facilement repérés et tués. Ça l'enrageait ».

Wrida 1969

En prison, Ahmed Moh Amechtoh avait fini par attraper des rhumatismes, des maux qui ne se sont manifestés que des années plus tard. En 1969 il est tombé malade. Il est mort au bout de trois mois. Son père, super centenaire, était déjà paraplégique.

Les maquisards du village n'ont pas daigné témoigner pour l'engagement d'Ahmed et toute sa famille, avec tous ces fusils qu'on avait donnés afin d'obtenir une pension. Il est pourtant mort des sévices de la guerre. Quand on demandait à un maquisard d'ici pour nous signer les papiers, il répondait,

- Moi je n'étais pas ici dans le secteur.

Ils nous ont rien donné. Un jour Zi-Ahmed nous a rendu visite, il a demandé ;

- Est-ce que tu as une pension pour la guerre ?
- On n'a rien eu, pas un centime,
- Laisse tomber Wrida, ce sont des hypocrites. Dieu est avec nous.

Les gens étaient mécontents que Zi-Abderrahmane ait eu une pension, et des vaches. Avec toute la torture qu'il avait subie, ils disaient « il ne les méritait pas ». Je parlais avec Saïd n'Moh Ourouji un jour au sujet de sa mère, et il m'a dit ;

- Ils ne m'ont rien donné à na-Wrida, ni un sou ni deux.

1971

A l'indépendance, Si-Ahmed Acharfiw avait le grade de lieutenant. Il intègre les rangs de l'Armée nationale populaire où il fait bénéficier les jeunes de son expérience. En 1967, lors du déclenchement de la guerre israélo-arabe, il prend part aux côtés des forces arabes engagées dans le Sinaï égyptien. En 1971, âgé de 40 ans, il quitte définitivement l'armée pour se consacrer, à l'agriculture, son activité préférée.

1973

Un certain Amar Bwakli n'Hend, avait joué son rôle comme un goumier jusqu'au bout. A l'indépendance, Vriroche lui a signé ses papiers de maquisard. Des témoins affirment qu'il travaillait pour l'ALN, infiltré dans la caserne. A cause de lui, Vriroche est haï dans son fief. Mais l'homme n'a pas pu vivre dans son village, il a du s'installer dans son terrain d'Azaghar, immédiatement après la guerre.

Si-Ahmed nath Chikh était occupé dans la construction du barrage de Nezla, commencé il y a six ans. Il trace aujourd'hui le plan pour la construction du siège de la mairie à Souk El Hed.

1974

Mohand Wamar me croisait dans la région à cette époque, où je cherchais du travail. Il ne m'a jamais rien proposé. J'ai vu Fernan Abdelkader une seule fois dans une rue de Tizi ouzou. Il m'a tout de suite promis ;

- Tu peux rentrer tranquillement chez toi, et sois rassuré de ce côté-là.

Au bout de quelques jours j'ai reçu une lettre. J'ai été recruté à Tizi-ouzou comme agent de sécurité dans un dépôt de marchandise.

1975

J'ai assisté à une tsevyitha à Abizar, où le maire Mohand wamar, Vriroche et Ouamran ont fait chacun un discours. Ce dernier était un peu nerveux quand il s'exprimait. Ils ont parlé d'oucharki et de Kaci ihedaden notamment. A la fin de la cérémonie, pour rentrer au village, Vriroche est parti de son côté et le maire est venu avec nous, nous sommes passés par la route de Tizi bounwal. Ils sont du même village, mais j'ai remarqué qu'ils n'avaient pas échangé un mot.

A chaque fois que Vriroche venait d'Alger, en visite à Ighil, le maire Mohand Wamar fermait spécialement la mairie, pour ne pas le recevoir. Vriroche était très apprécié de Boumediene, et ses amis. Ils lui auraient rien refusé. Mais il était dégouté des responsables locaux. Un jour je lisais un classement dans un journal « le plus jeune militant, c'était quelqu'un que je ne connaissais pas. Le plus vieux militant c'était Vriroche ».

Hlima n'Moh g'Yahia meurt à 106 ans. Son petit fils épouse la fille de Moh Namar ou-Yahia et s'établit avec elle à Veliès.

Atermoul est piégé par son ennemi, sur une route d'Azaghar. Il a tendu un traquenard avec un arbre suspendu en pour tomber au moment où Atermoul passait en moto. Il est tué sur le coup.

Amar Wali rétablit la mixité. Dans les fêtes de mariage, il ne manque pas une occasion pour rentrer et danser au milieu des femmes, toujours très applaudi.

Les fillettes chantent encore « ...quand jeannette » ...les chiens sont rares comme au temps de la guerre. Il n'y a toujours pas assez d'espace pour vivre en intimité. L'homme a de l'autorité dans le quartier. Tous ceux qui portent une casquette ont de l'autorité, même un receveur de bus. L'homme parle à voix basse des qu'il s'agit d'information. Les champs n'ont pas besoin clôture.

Les gens rient facilement, y compris de la misère. Il y a un mélange de naïveté et de pudeur, de mixité et de débauche.
Ils savent mélanger drague et solidarité, mais avec réserve. Si un homme d'Ikjiwen passe devant des femmes d'Ath Slimane, il baisse sa tête de pudeur et de respect, et aucun échange de parole, pas même le bonjour.
Mais un homme qui a des liens de parenté comme Amar wali, il peut entrer dans n'importe quelle maison et diner, même si le mari est absent.

1976

Kaci n'Amara s'est remarié. Il avait au moins l'âge de mon père. Quand je l'ai rencontré, il avait l'air d'avoir bien rajeuni. C'était lui qui avait signé les papiers de résistant pour mon père. Kaci n'Amara est décédé en 1976 à l'âge de 82 ans. Son fils Hocine qui était un officier de l'ANP, devient général.

1978

Aux funérailles de mon père j'ai vu Si-Ahmed n'cheurfa à Imezlay, les maquisards me l'ont présenté. Lorsqu'un maquisard décédait, des cars sont loués par l'organisation des Moudjahidines et ils venaient en nombre. Il y avait une marée humaine à Imezlay.

1985

Ouamrane intervient pour libérer de prison les détenus d'opinion, dont Ali Yahia Abdennour et Ferhat Mehenni.

Ouacel retourne en Kabylie au milieu des années 1980 sans être reconnu dans son village natal. Il décède en 2013 des suites d'une crise cardiaque à l'âge de 98 ans.

1988

Après l'indépendance, Mohand Ameziane Yazourene rentre en Algérie et occupe plusieurs fonctions. Député à la première Assemblée constituante de l'Algérie indépendante. Il s'implique aussi pour trouver une solution à la crise de Kabylie qui commence l'année suivante. Il décède le 5 janvier 1988 des suites d'un accident cardiovasculaire.

Après quelques mandats de député, le Commandant Moh Ouali prend sa retraite. Il décède en Octobre 1992.

Des 1994, Mohand-Igherviene reprend les armes pour combattre les terroristes islamistes, et protéger les villages d'ath Jennad.

2002

L'ancien maire d'Iajmad Mohand Wamar, m'a vu un jour, et a demandé des nouvelles,

- Comment va si Mohand,
- Il est mort,

Il était en larmes un court instant. Il aimait bien Zi-Mohand.

Aout 2010

Lakhdar Ben tobal, avait été interrogé un jour, par des journalistes ;

- Est-ce que vous avez des regrets sur la révolution ?
- La seule chose que je regrette, c'est d'avoir voté, moi et Boussouf, à chaque

fois, contre Krim Belkacem pour qu'il ne soit pas président du gouvernement provisoire.

A la fin ils ont regretté, mais c'était trop tard. Ils ne savaient pas que tout allait échoir entre les mains d'un clan qui n'avait pas fait de sacrifice. Ils se disaient, au moins Krim, lui, était un vrai révolutionnaire. Ils ne s'attendaient à être écartés ainsi. Lakhdar Ben tobal décède à Alger à l'âge de 87 ans.

2012 Achour

Achour Amanzougarene, ancien combattant, installé dans la commune d'Algans, dans le Tarn, en région Occitanie. Ses services antérieurs sont reconsidérés.

Il devient président de l'association des rapatriés d'Algérie. Chevalier de la légion d'honneur, décoré, le 30 Mars 1997, il avait cumulé alors 54 ans d'activité professionnelle, associative et de service militaire. Il meurt le 1er Mars 2012 à Algans à l'âge de 89 ans.

2020

Mohand n'Saïd n'Amar décède dans le Tarn-et-Garonne.

2021

Si-Ahmed Dahoumane, ancien lieutenant de l'armée de libération, vit toujours parmi les siens à Cheurfa. Une ouïe très amoindrie, mais sa bonne une constitution physique, du haut de ses 89 ans, lui permet de se déplacer librement pour rencontrer les habitants de la région. Il poursuit ses activités au sein de l'ONM d'Azazga, aux côtés de ses amis et compagnons de lutte.

Amr ou-Saïd Taouint, entre lecture de livres d'histoires et agriculture, il mène une vie paisible et modeste, mais très active.

Bibliographie

Avec la participation d'Omar Ait Slimane de Tamda

Le Monde du 20 août 1958- par Par Michel Thiebault

El Watan du 16 février 2017- par Salah Yermèche

Thèse de Djillali Djelloul Mars 2010

http://ait-salah.tripod.com/famillleaitkaci.html par ACHIT LARBI

El Watan : Salah Yermèche 15 décembre 2016

Narrateur subjectif : Mohand ou-Idir.

Mourad Hammami dépêche de Kabylie 2007

Laëtitia Achilli -le progrès du jura juin 2020

Kaci n'Amara, au maquis de Bounaâmane.

Mohand ou-Abderrahmane
1925-2002

Ahmed ou-Abderrahmane
1928-2004

Zehra n'Abderrahmane 1930-2019

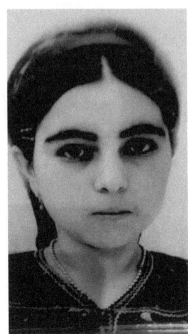

Sadia n'Abderrahmane

Tahar Ibouchoukene.

Colonel Yazourène Mohamed.
Dit Vrirouche -1912-1988

Mohand Idir Ait Slimane,
Iazouzen, Aout 2019

Omar Boudaoud
1923-2020

Si Ouhcene dit Joujou, Mohamed Tegaoua dit Moh El haj, Si Saïd Ouchallam.

Vrirouche, Mahyouz, Amirouche au 1er plan,
Mohand Oulhaj et Hmimi en arrière plan, entre autres.

Le colonel Amirouche avec le capitaine Moghni Mohamed Salah dit Si
Abdellah Ibeskriene chef de la zone 3 de la wilaya III octobre 1957 dans
la zone 3.

Le Sous-lieutenant Achour Amane Zegwaghène 1923-2012.
Colonel Amirouche 1926-1959

Lieutenant Ahmed Dahoumane dit Si-Ahmed Acharfiw. Juin 2017

Arezki n'Mohand n'Amar Keroui 1938-1961

Ouacif Mohand n'Saidh, Mohand n'Mhend, Ouacif Mohand. Octobre 1956.

De gauche à droite : **X** - Achour Amanzouguaghene - Amirouche -
Tayeb Mouri - **X** - Abdelhamid Mehdi.

Achour Amanzougarene, 2ème de droite. Caserne d'Azazga 1959

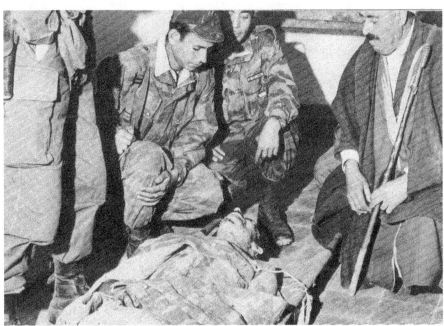

Accroupis sur le corps Amirouche, de gauche à droite; Messara Mokrane
Imansouren, Achour n'Boujemaa ou-Idir, le sénateur Benasar de Djemaa
n'Saharij, originaire de Borj menaël. Fin mars 1959.

Blessés et prisonniers de la bataille de Tachivount : De droite à gauche : Abdellaoui Ahmed, Tighdine Arezki dit Arezki Taouint, Amansour Said dit Said Boudekhane, Ouguenoun Said dit Said Lounès, Ibouchoukene Tahar, Lounis Belaid de Tala Tgana.

Stèle mémorielle de la bataille de Tachivount du 8 Octobre 1959.

Ifri Ouzellaguen. 20 Aout 2019

Arezki Tawint - Tachivount.

Omar Tawint

Mohand n Mhend 1934-1957

Elie Mourey 1934-1957

Sous lieutenant Belkacem el Hanafi dit Si Habachi, et Capitaine
Yaha Abdelhafid dit si El hafid en juillet 1962.

Wrida

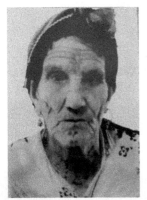

Taǧawawt

Tassadit Meziane

Dahvia n'Mhend, 14 janvier 2021

Wardia Moh Amechtoh

Abderrahmane 1896-1978

Moh Amechtoh

Ahmed Moh Amechtoh

Mohand ou-Idir - 1959

Amar ou-Saïd Taouint 2020

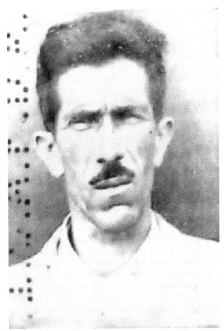

Ahmed Bounsiar 1916-1986

Moh El Haj Tegaoua -1919-1962

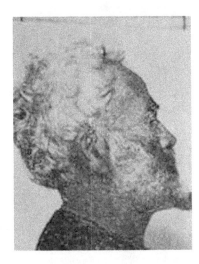

Kaci n'Amara 1894-1976

Belkacem Hanafi -
dit Si-Habachi

Moh Ouvouj de Tavoudoucht

Caserne de Taboudoucht avant Mai 1961

AKLI MOHEND OULHADJ

CHERI BEBE

Cheurfa. Juillet 1962

Caserne annexe de Taboudoucht. Janvier 1962.

Fatima Moh El –Haj, Mohand ou-Idir, Paris Mai 2018

CPSIA information can be obtained
at www.ICGtesting.com
Printed in the USA
BVHW071835110521
607042BV00002B/143